KB086653

초등 수학 교구 상자

자유자재로 식을 만드는

멀티 숫자 퍼즐

Trans Number

트랜스넘버

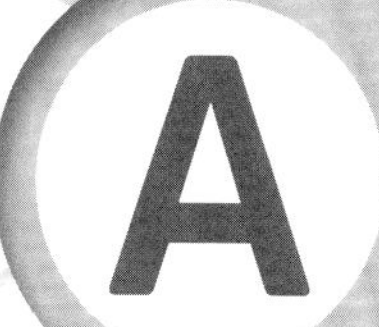

Creative to Math
씨투엠

차 례

• 법인명: ㈜씨투엠에듀(C2MEDU corp.)
• CEO: 한헌조
• 창립연도: 2014년 10월
• 홈페이지: www.c2medu.co.kr

01 덧셈과 뺄셈

연관 활동: 교구 매뉴얼 activity 1

덧셈과 뺄셈의 관계

수 2, 5, 7과 +, -, =를 사용하여 식을 만들면 2+5=7, 5+2=7, 7-5=2, 7-2=5를 만들 수 있습니다. 만든 식을 살펴보면 덧셈에서는 더하는 두 수가 서로 바뀌어도 결과값이 같고, 뺄셈에서는 빼는 수와 결과값이 서로 바뀌어도 식이 성립합니다.
2+5=7에서 세 수의 순서를 반대로 쓰면 7-5=2와 같이 뺄셈식을 만들 수 있습니다. 5+2=7과 7-2=5에서도 마찬가지입니다. 이러한 덧셈과 뺄셈의 관계를 역의 관계라고 합니다.
덧셈과 뺄셈의 관계는 곱셈과 나눗셈 사이에도 적용되는데 수 2, 3, 6과 ×, ÷, =를 사용하여 2×3=6, 3×2=6, 6÷3=2, 6÷2=3을 만들어 보면 알 수 있습니다.

2	+	5	=	7

5	+	2	=	7

7	-	5	=	2

7	-	2	=	5

식 만들기

주어진 세 수를 이용하여 덧셈식과 뺄셈식을 **2**개씩 만들어 보세요.

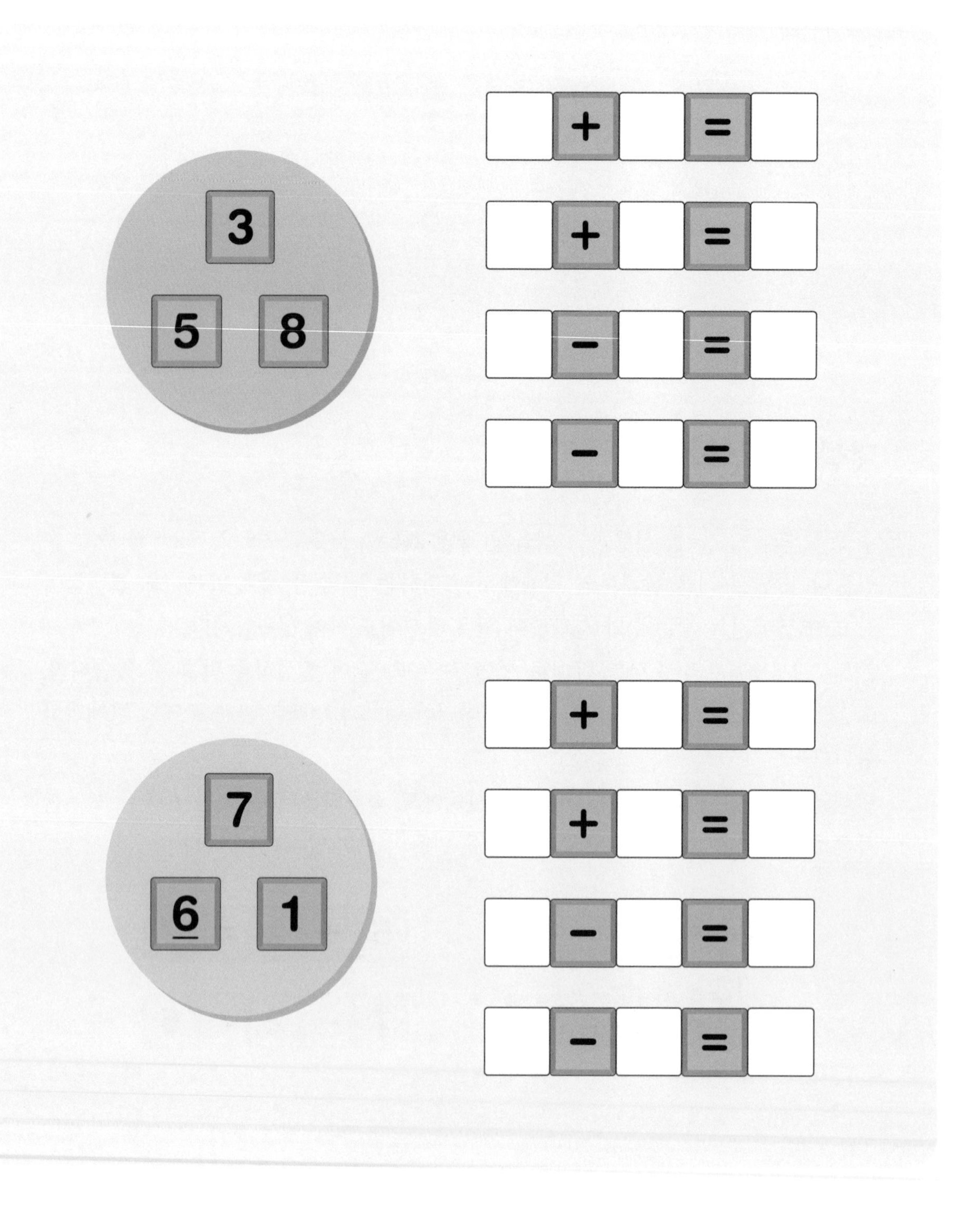

덧셈식과 뺄셈식

덧셈식은 뺄셈식으로 나타내고, 뺄셈식은 덧셈식으로 나타내어 보세요.

13 − 6 = 7

□ + □ = □

□ + □ = □

바꾸어 더하기

✕ 두 수를 바꾸어 더해도 계산 결과는 같습니다. 알맞게 이어 보세요.

8 + 3 •	• 10 •	• 7 + 5
5 + 7 •	• 11 •	• 3 + 8
4 + 6 •	• 12 •	• 5 + 9
7 + 8 •	• 13 •	• 6 + 4
9 + 5 •	• 14 •	• 8 + 7
8 + 5 •	• 15 •	• 5 + 8

바꾸어 빼기

뺄셈식에서 빼는 수와 결과값을 바꾸어도 식이 만들어집니다. 빼는 수와 결과값을 바꾸는 뺄셈식을 완성해 보세요.

$9 - 2 = 7$

$9 - 7 = 2$

$5 - 4 = \square$

$5 - \square = 4$

$10 - 3 = 7$

$10 - \square = \square$

$12 - \square = 8$

$12 - 8 = \square$

$17 - 9 = 8$

$\square - \square = \square$

$13 - 4 = 9$

$\square - \square = \square$

식 바꾸기

덧셈식과 뺄셈식을 자유롭게 바꾸어 봅시다.

트랜스넘버 교구 활동

준비물 수칩, 기호칩, 커터

1 수칩과 기호칩으로 자유롭게 (한 자리 수)+(한 자리 수) 덧셈식을 만듭니다.

5 + 7 = 1 2

2 더하는 두 수를 서로 바꾸어 보고, 두 수를 바꾸어도 식이 맞는지 확인합니다.

7 + 5 = 1 2

3 결과값을 가장 앞으로 옮기면서 - 칩을 붙이고, 덧셈식을 뺄셈식으로 바꾸어 봅니다.

1 2 - 7 = 5

4 빼는 수와 결과값을 서로 바꾸어 보고, 두 수를 바꾸어도 식이 맞는지 확인합니다.

1 2 - 5 = 7

5 수칩과 기호칩으로 자유롭게 뺄셈식을 만들고, 거꾸로 **4**~**1**의 과정대로 식을 바꾸어 봅니다.

1 0 - 1 = 9 ➡ 1 0 - 9 = 1

➡ 9 + 1 = 1 0 ➡ 1 + 9 = 1 0

02 식 복원하기

연관 활동: 교구 매뉴얼 activity 1, 2

0의 발견

우리가 사용하는 숫자 1, 2, 3, 4, 5, 6, 7, 8, 9, 0 중에 0은 가장 나중에 생겨난 숫자입니다. 0이 없었을 때는 수를 쓸 때 해당 자릿수를 비워 두었습니다. 예를 들면 105는 1과 5 사이에 공간을 두고 '1 5'라고 표시했습니다. 이러한 표기는 사람들을 105인지 15인지 헷갈리게 만들었습니다. 그 후에 빈 공간을 표시하게 위해 작은 동그라미 기호를 사용했고, 시간이 지나면서 지금의 '0'의 모습이 되었습니다.

0은 처음에 단순히 빈 공간을 메우기 위한 기호였다가 6세기 말에 '없음'을 나타내는 숫자로 인정받게 되었습니다. 0은 어떤 수에 0을 더하거나 빼면 어떤 수 자신이 되고, 어떤 수에 0을 곱하면 0이 된다는 사실을 발견하고 나서 매우 중요한 숫자가 되었습니다.

아라비아 숫자가 전 세계로 퍼져나간 이유는 이처럼 다양한 수를 쓸 수 있고 계산을 편리하게 해 주는 0이 있었기 때문입니다.

10 만들기

주어진 수 중 두 수 또는 세 수를 빈칸에 써넣어 식을 완성해 보세요.

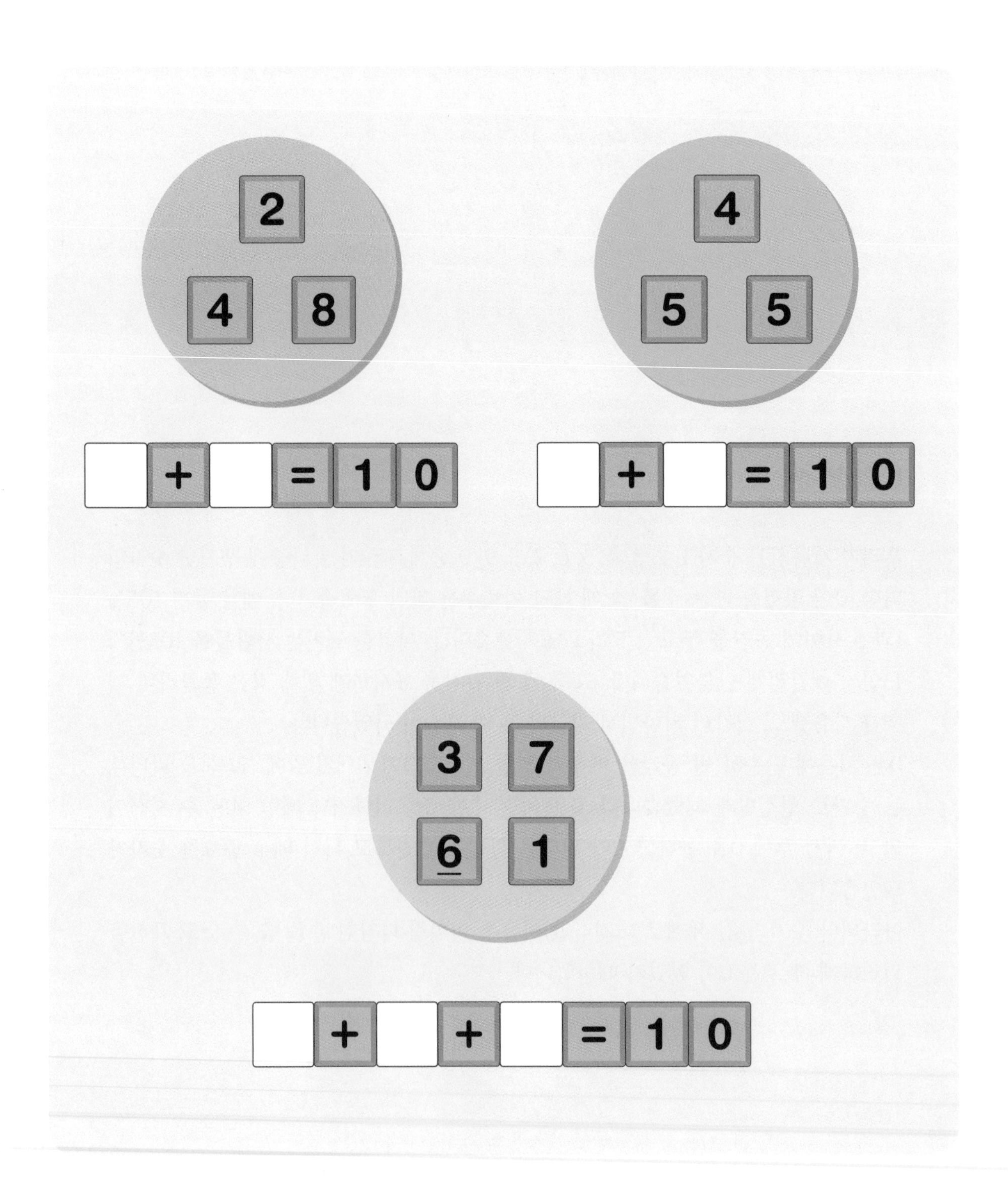

식 완성하기

준비물 수칩, 기호칩

주어진 수를 모두 빈칸에 써넣어 식을 완성해 보세요. 수칩과 기호칩으로 만들어 보세요.

식 복원하기

준비물 수칩, 기호칩

주어진 수와 기호를 모두 빈칸에 써넣어 식을 완성해 보세요. 수칩과 기호칩으로 만들어 보세요.

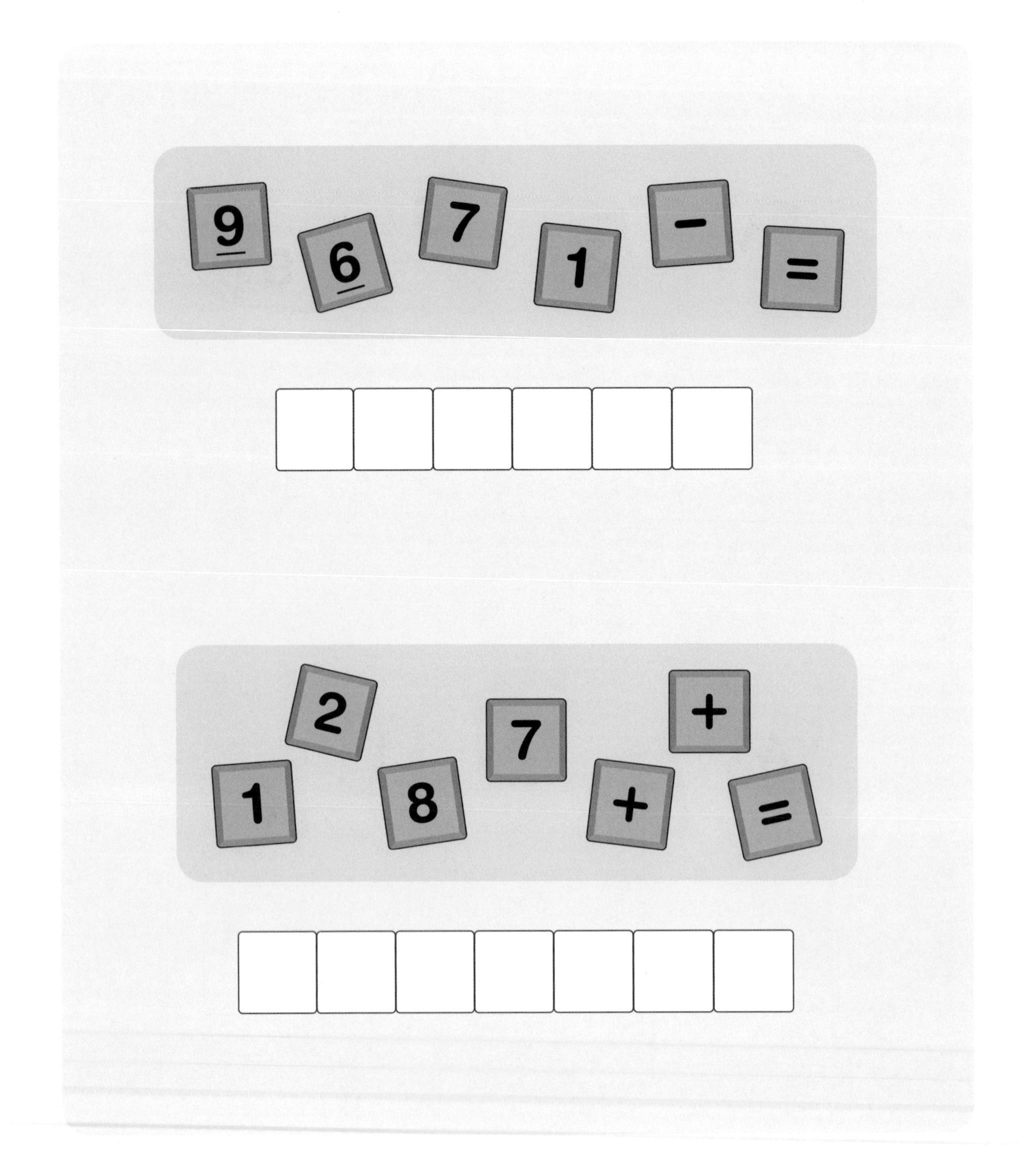

빈칸에 **0**부터 **9**까지의 수 중 알맞은 수를 써넣으세요.

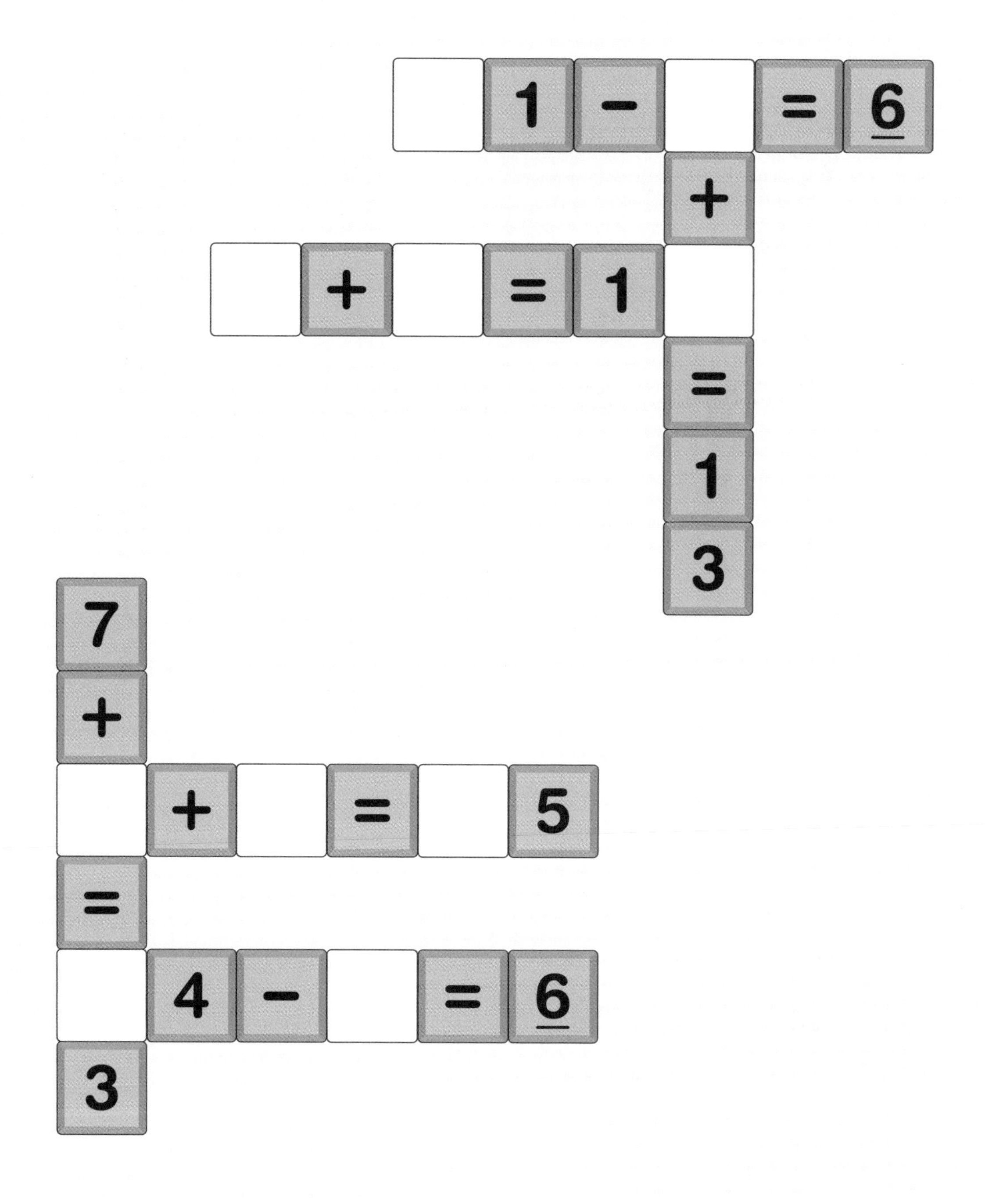

암호문을 풀어라

✕ 덧셈과 뺄셈을 계산한 값에 대한 암호를 암호문에서 찾아 써넣고 암호문의 답을 구해 보세요.

6	7	8	9	10
기	하	은	?	빼

11	12	13	14	15
구	사	팔	육	더

5+6	7+8	13-6	15-9	8+5	16-8	15-6

암호문의 답 : ☐

03 크고 작은 셈

연관 활동: 교구 매뉴얼 activity 5

생활 속 수 읽기

수를 읽는 방법은 2가지가 있습니다. 하나는 '일, 이, 삼, …'과 같이 한자로 읽는 것이고 다른 하나는 '하나, 둘, 셋, …'과 같이 우리말로 읽는 것입니다. 수를 읽는 상황에 따라 한자로 읽기도 하고 우리말로 읽기도 하는데 여러 상황을 접하면서 자연스럽게 구분하는 것이 중요합니다.

주로 수 자체를 읽거나 특정 상태를 나타낼 때는 한자로 읽습니다. 예를 들면 수 자체를 읽을 때는 '등번호 칠 번', 어떤 날을 읽을 때는 '삼 일', '오 월', 어떤 층을 읽을 때는 '일 층', '이 층'으로 읽습니다.

물건의 개수를 세거나 기간을 나타낼 때는 우리말로 읽습니다. 예를 들면 물건의 개수를 셀 때는 '사과 세 개', '연필 다섯 자루'로 읽고, 기간을 나타낼 때는 '한 달', '두 달'로 읽습니다.

다만 시각을 읽을 때는 '한 시 삼십 분'과 같이 몇 시는 우리말로, 몇 분은 한자로 읽습니다.

연산 퍼즐

주어진 수를 빈칸에 한 번씩 써넣어 덧셈식과 뺄셈식을 완성하세요.

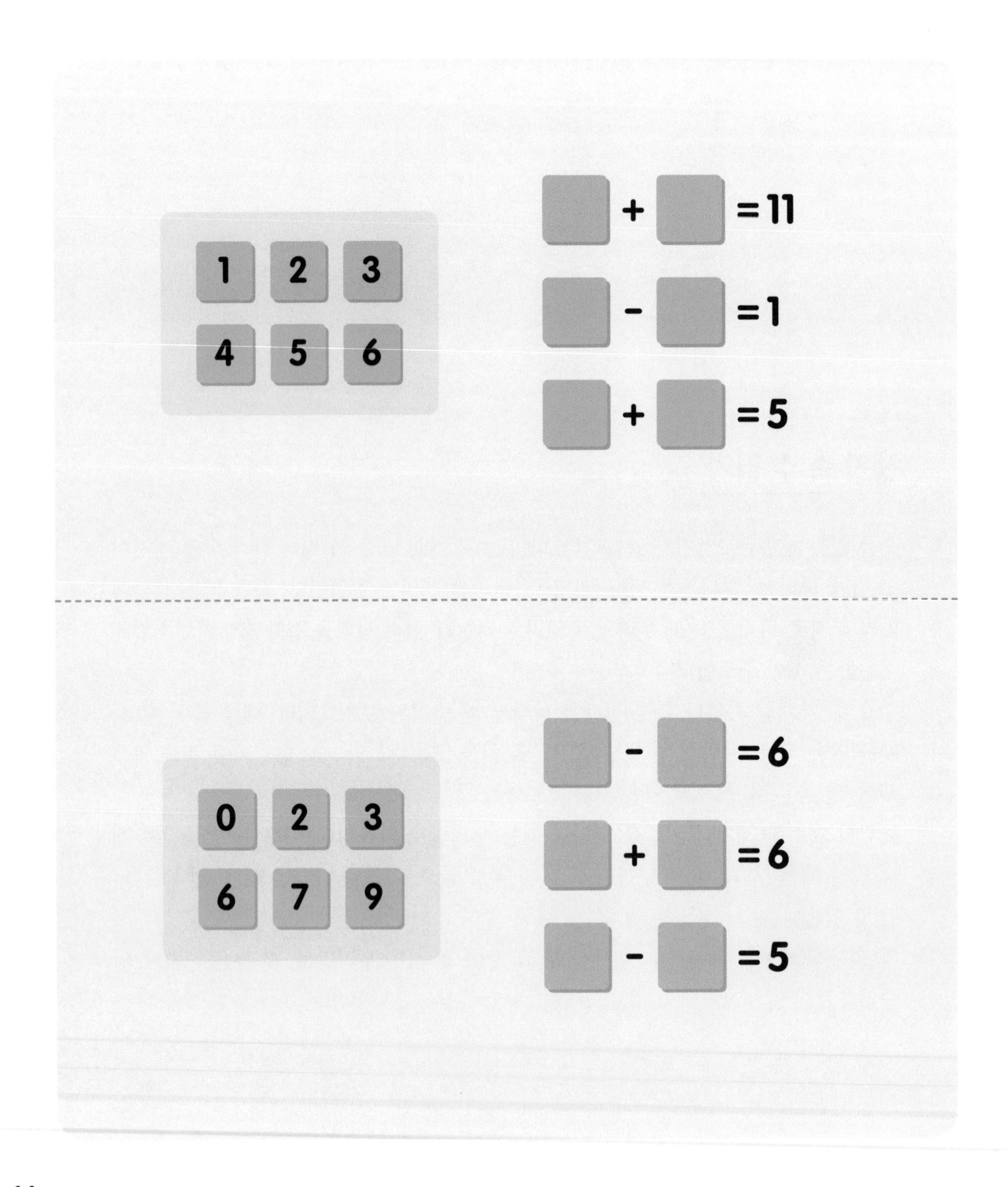

수 카드의 합

✕ **0**부터 **9**까지의 수 카드가 한 장씩 있습니다. 동물 친구들이 수 카드를 **2**장씩 나누어 가진 다음 카드에 적힌 수의 합을 말했습니다. 동물들이 가져간 수 카드를 구해 빈칸에 써넣으세요.

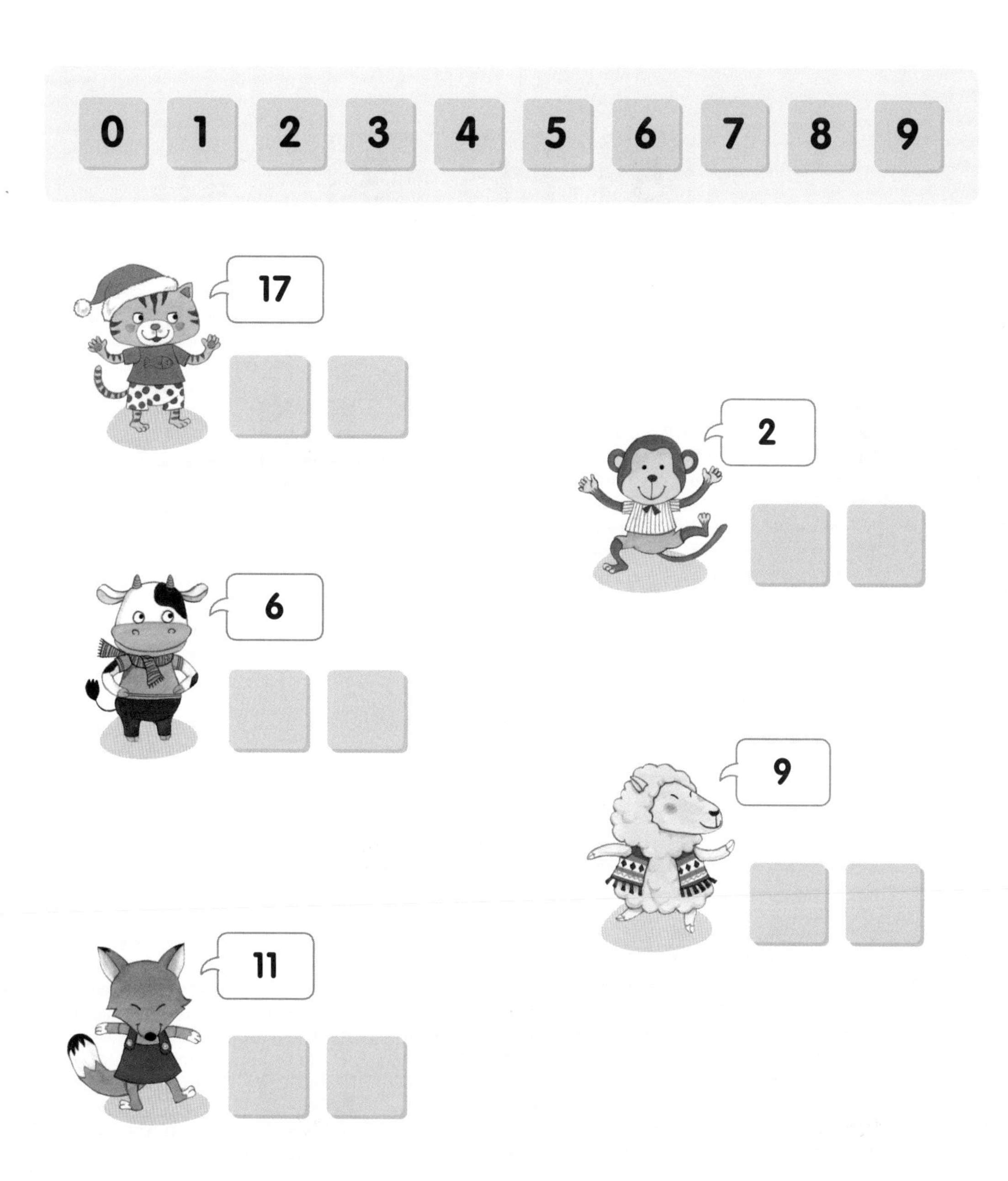

크고 작은 합

준비물 수칩, 기호칩

주어진 수칩 중 **2**개를 골라 합이 가장 크거나 가장 작은 식을 만들고 계산해 보세요.
수칩과 기호칩으로 식을 만들어 보세요.

5 1 3

합이 가장 큰 식

5 + 3 = 8

합이 가장 작은 식

□ + □ = ____

2 7 4

합이 가장 큰 식

□ + □ = ____

합이 가장 작은 식

□ + □ = ____

크고 작은 차

준비물 수칩, 기호칩

주어진 수칩 중 **2**개를 골라 차가 가장 크거나 가장 작은 식을 만들고 계산해 보세요.
수칩과 기호칩으로 식을 만들어 보세요.

차가 가장 큰 식

차가 가장 작은 식

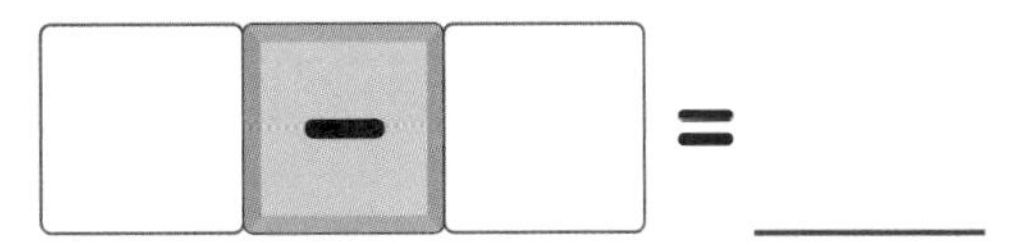

1 4 9

차가 가장 큰 식

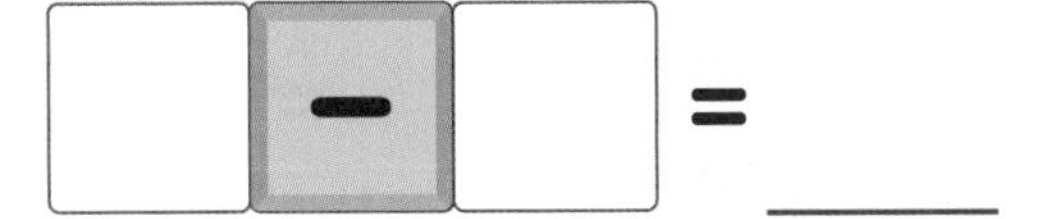

차가 가장 작은 식

크고 작은 셈

주어진 수칩 중 **3**개를 골라 계산 결과가 가장 크거나 가장 작은 식을 만들고 계산해 보세요. 수칩과 기호칩으로 식을 만들어 보세요.

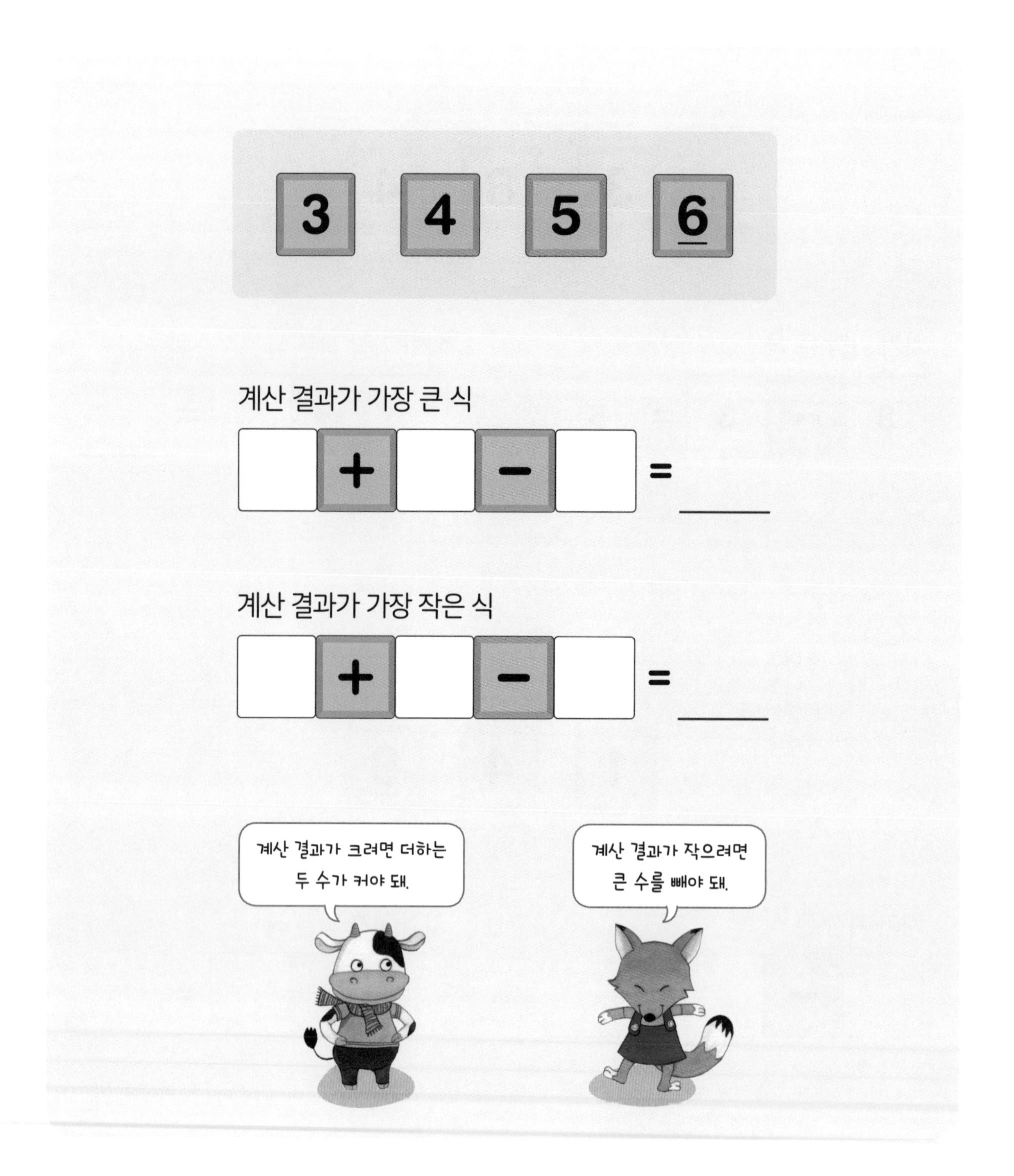

04 가로세로 셈

연관 활동: 교구 매뉴얼 activity 3

양치기 소년의 수 세기

옛날에 한 양치기 소년이 있었습니다. 수를 알지 못하는 양치기 소년은 자신이 기르는 양들이 한 마리라도 없어질까봐 항상 걱정이었습니다. 양들을 걱정하던 양치기 소년은 어느 날 좋은 방법을 생각해 냈습니다.

양치기 소년은 우리에서 양이 한 마리씩 나올 때마다 작은 돌멩이를 하나씩 주머니에 넣었습니다. 그러면 양의 수와 돌멩이의 수가 같아집니다. 반대로 저녁에는 양이 한 마리씩 우리에 들어갈 때마다 주머니에 있던 돌멩이를 하나씩 꺼내었습니다.

만약 주머니에 돌멩이가 남으면 양이 없어진 것이고, 반대로 모자라면 다른 양이 더 들어온 것입니다.

이처럼 수가 없었던 옛날에는 작은 돌멩이와 사물을 하나씩 짝지어 사물을 세었습니다. 이러한 방법을 '일대일 대응'이라고 하고, 수가 없어도 간단하게 사물을 셀 수 있었습니다.

바람개비 덧셈 1

가로줄, 세로줄의 두 수의 합을 빈칸에 써넣으세요.

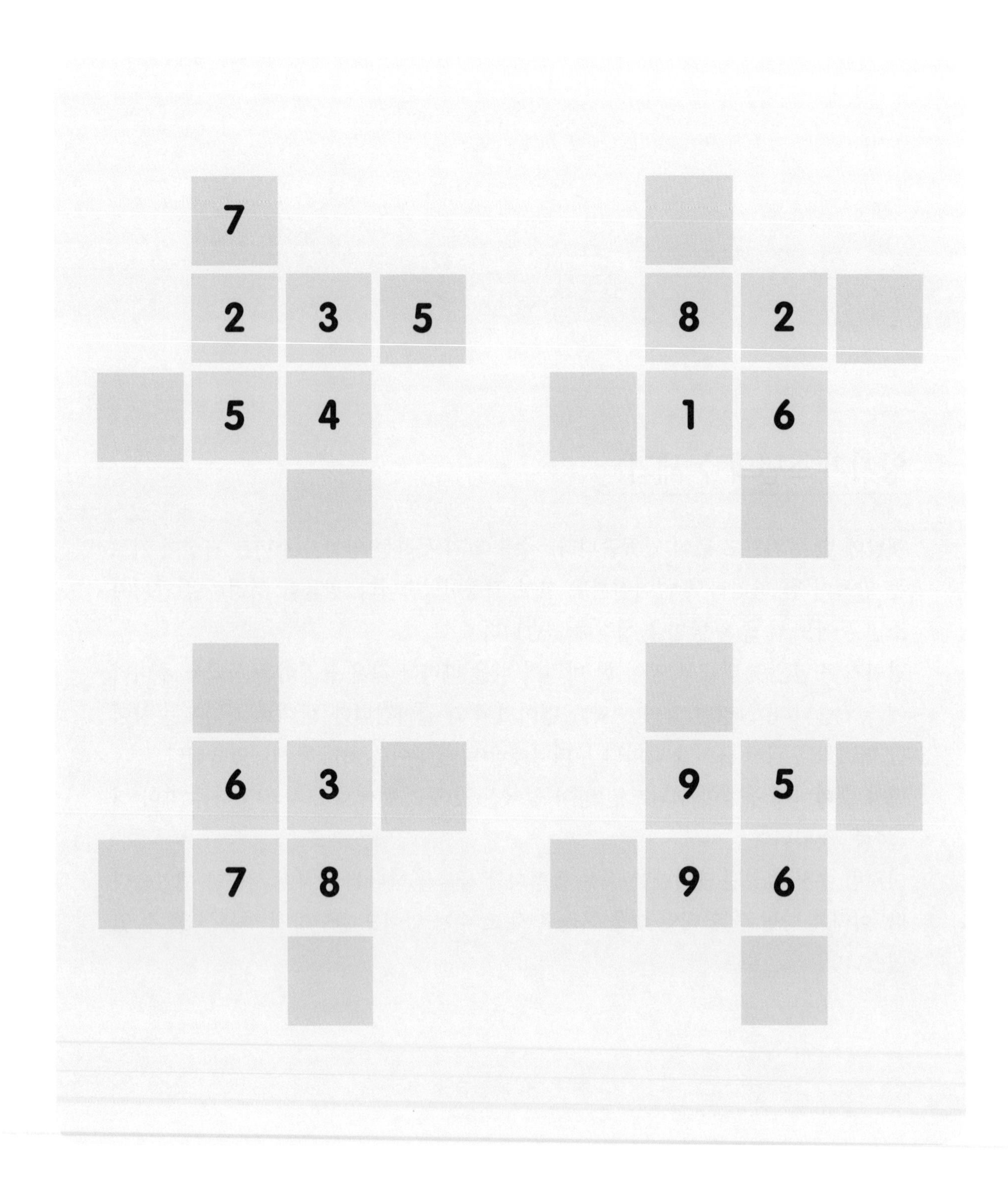

바람개비 덧셈 2

가로줄, 세로줄의 두 수의 합이 바깥쪽 수가 되도록 주어진 수를 빈칸에 써넣으세요.

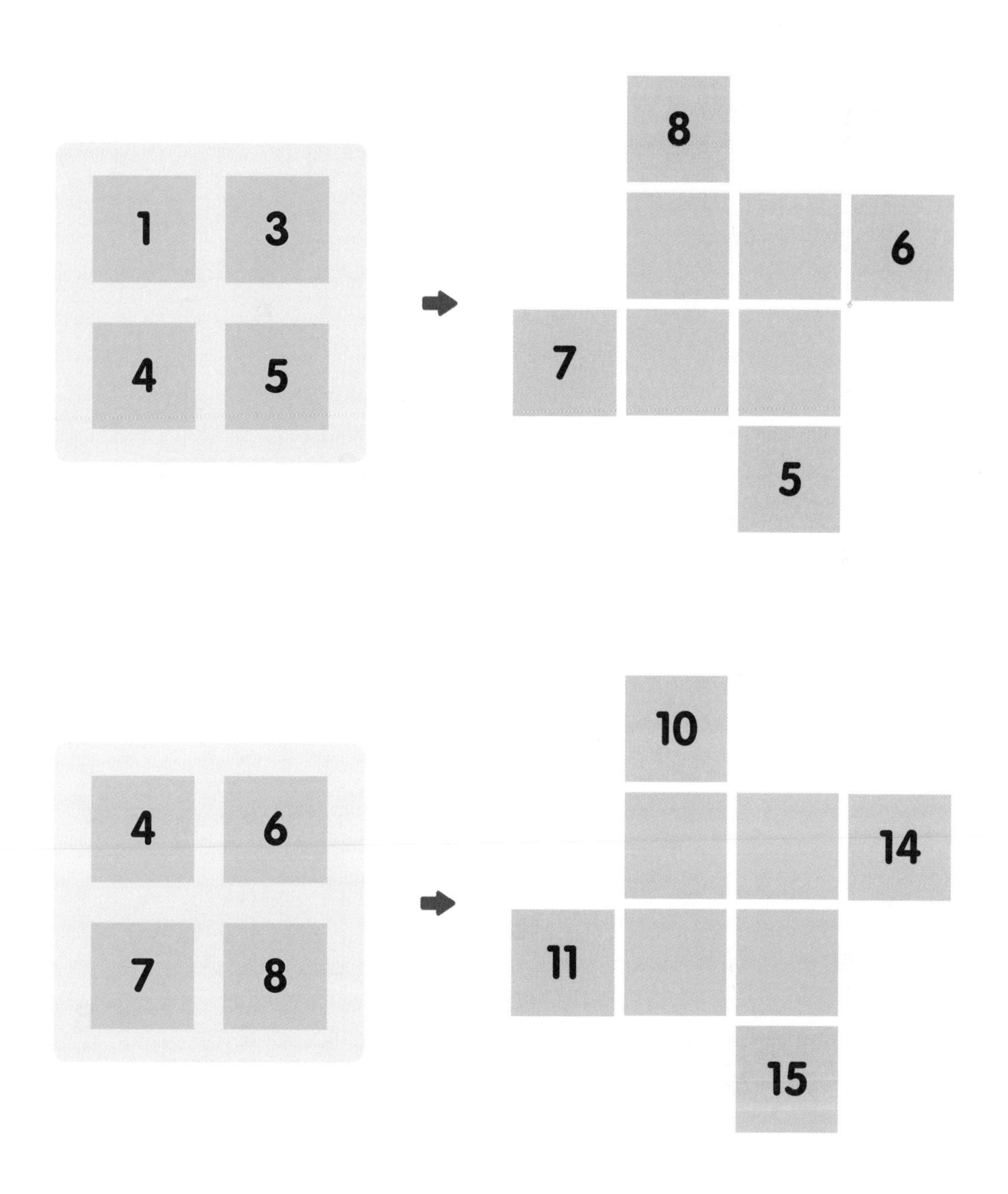

테트로미노 셈

가로줄, 세로줄의 두 수 또는 세 수의 합이 바깥쪽 수가 되도록 주어진 수를 빈칸에 한 번씩 써넣으세요. 수칩으로 직접 만들어 보세요.

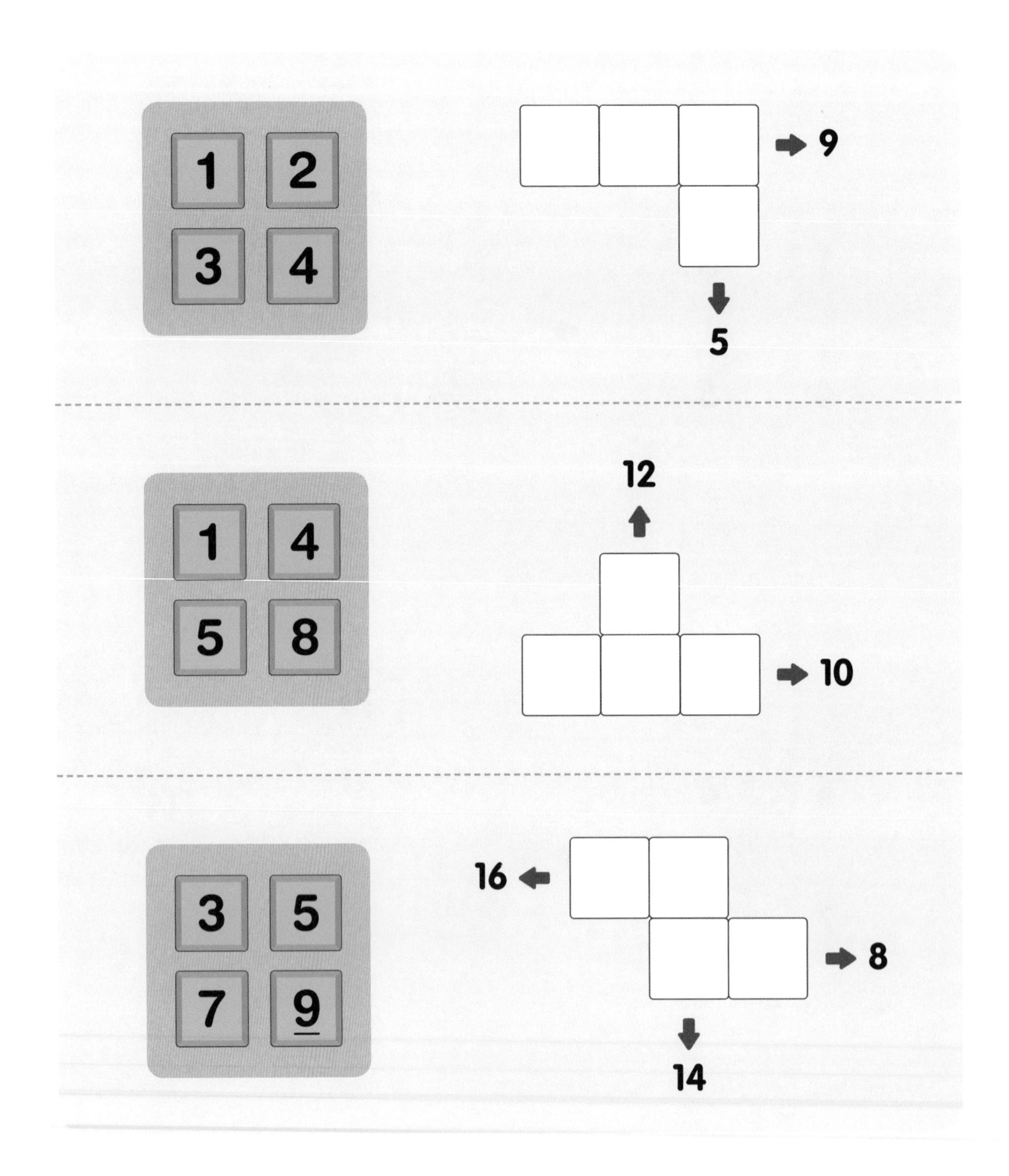

준비물: 수칩

가로줄, 세로줄의 두 수 또는 세 수의 합이 바깥쪽 수가 되도록 주어진 수를 빈칸에 한 번 씩 써넣으세요. 수칩으로 직접 만들어 보세요.

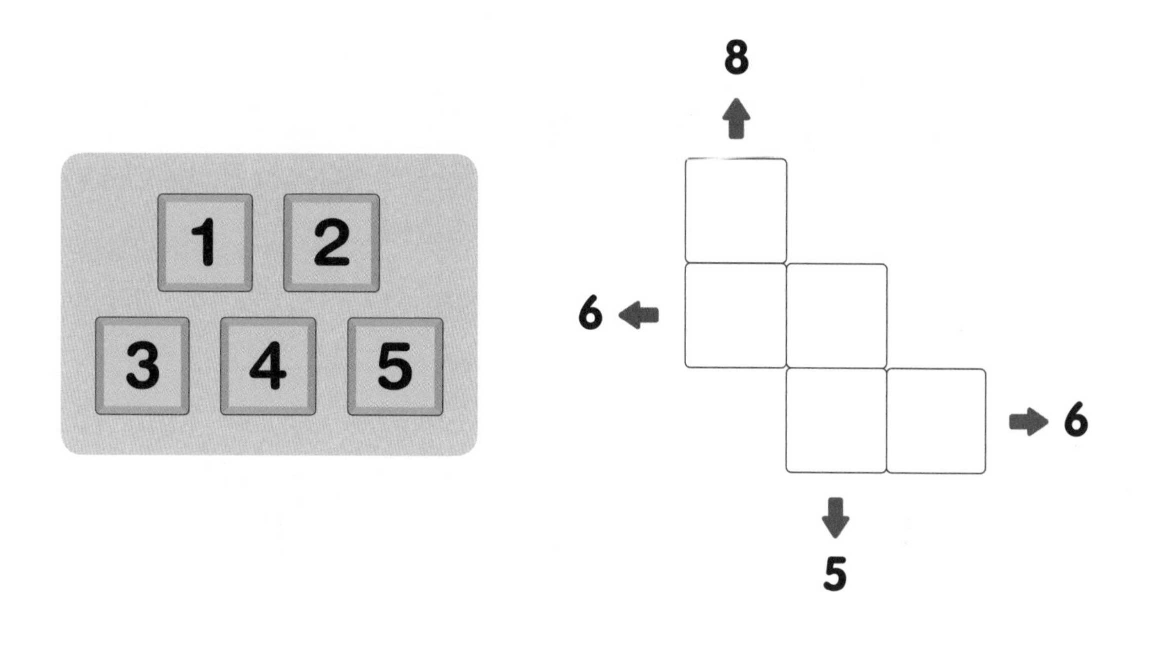

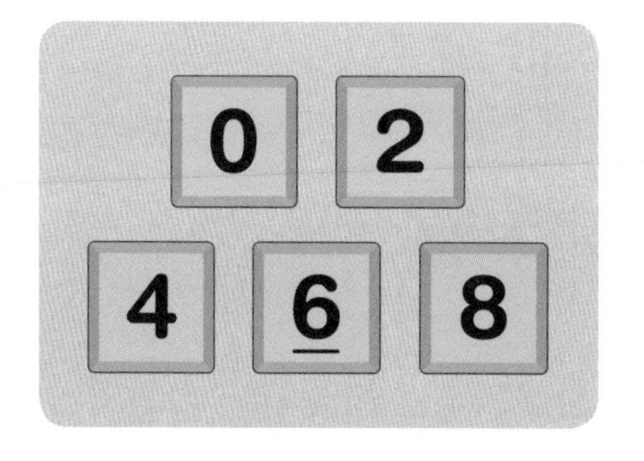

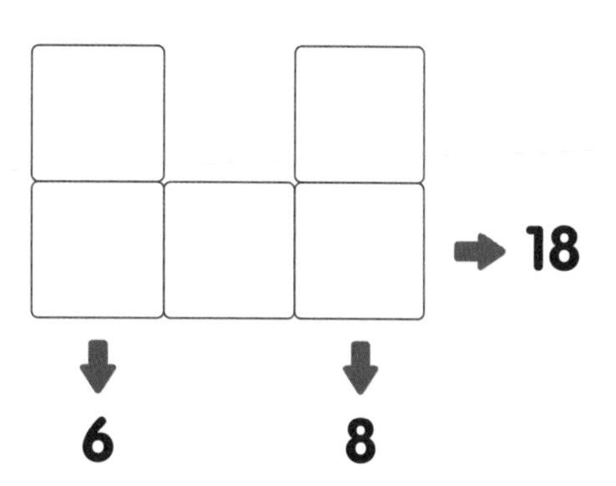

십자 마방진

✕ **1**부터 **5**까지의 수를 한 번씩 빈칸에 써넣어 가로줄, 세로줄로 세 수의 합이 각각 **8**, **9**, **10**이 되도록 만들어 보세요. 수칩으로 직접 만들어 보세요.

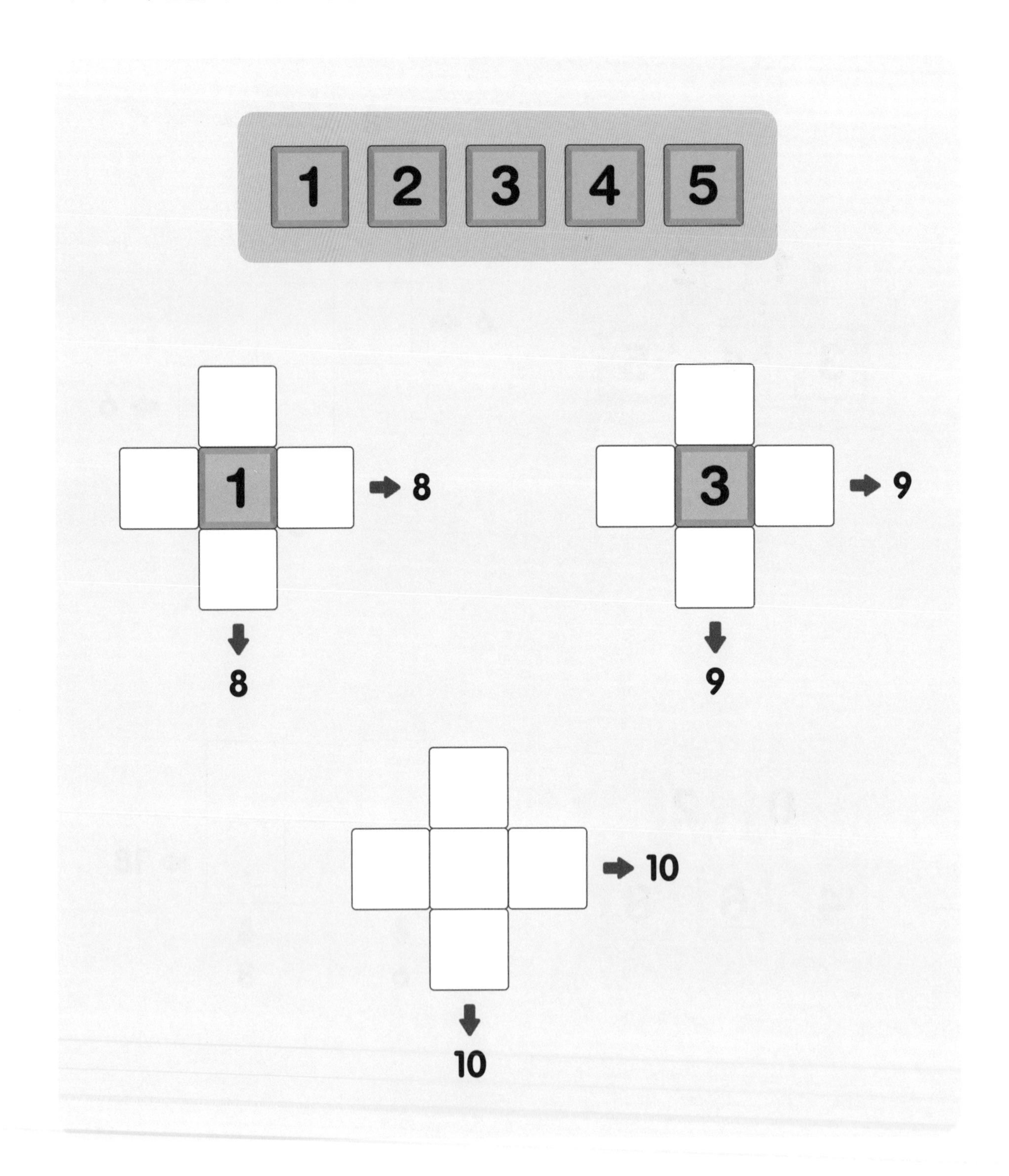

정답

트랜스넘버 A

트랜스넘버 A

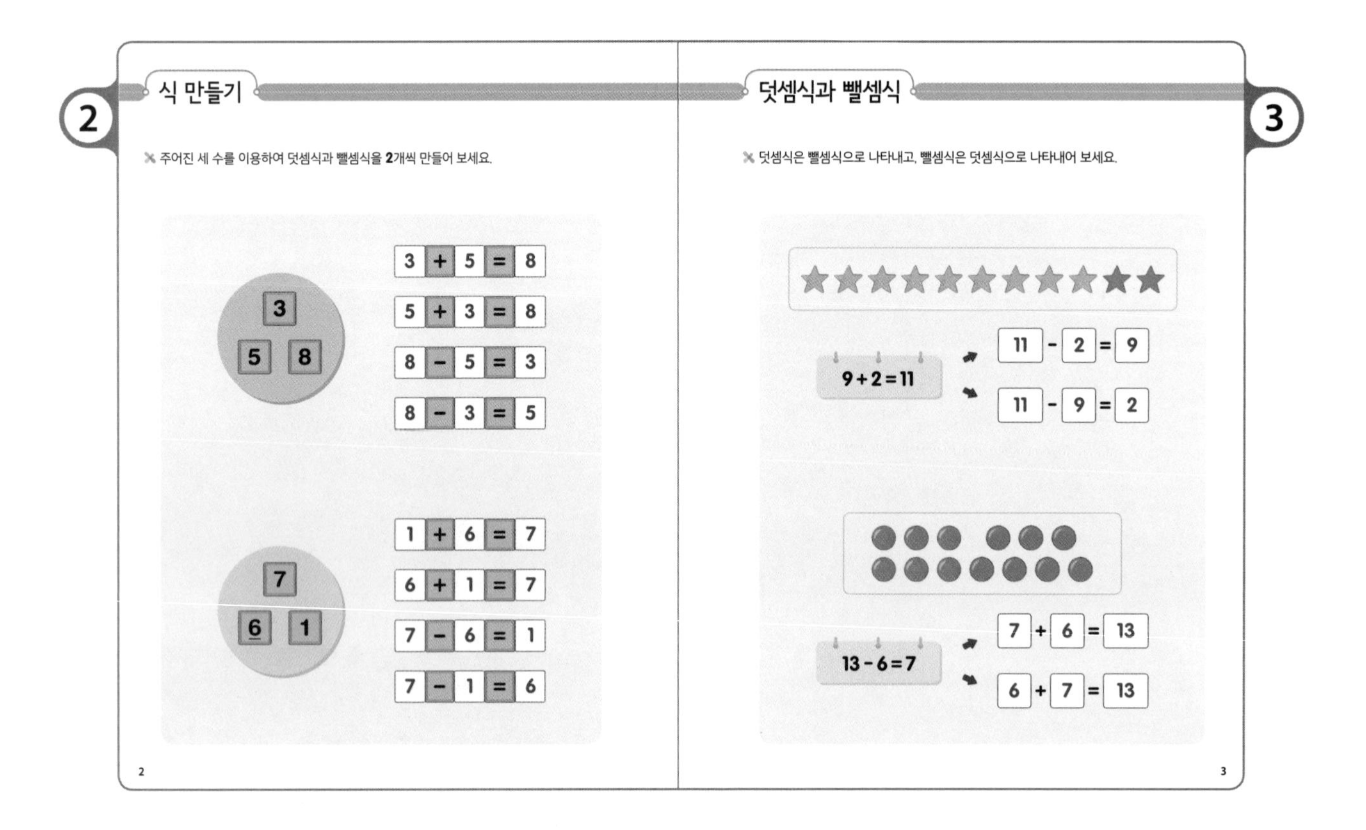
2
식 만들기
주어진 세 수를 이용하여 덧셈식과 뺄셈식을 2개씩 만들어 보세요.
3 + 5 = 8
5 + 3 = 8
8 - 5 = 3
8 - 3 = 5
1 + 6 = 7
6 + 1 = 7
7 - 6 = 1
7 - 1 = 6
3
덧셈식과 뺄셈식
덧셈식은 뺄셈식으로 나타내고, 뺄셈식은 덧셈식으로 나타내어 보세요.
9+2=11
11 - 2 = 9
11 - 9 = 2
13-6=7
7 + 6 = 13
6 + 7 = 13

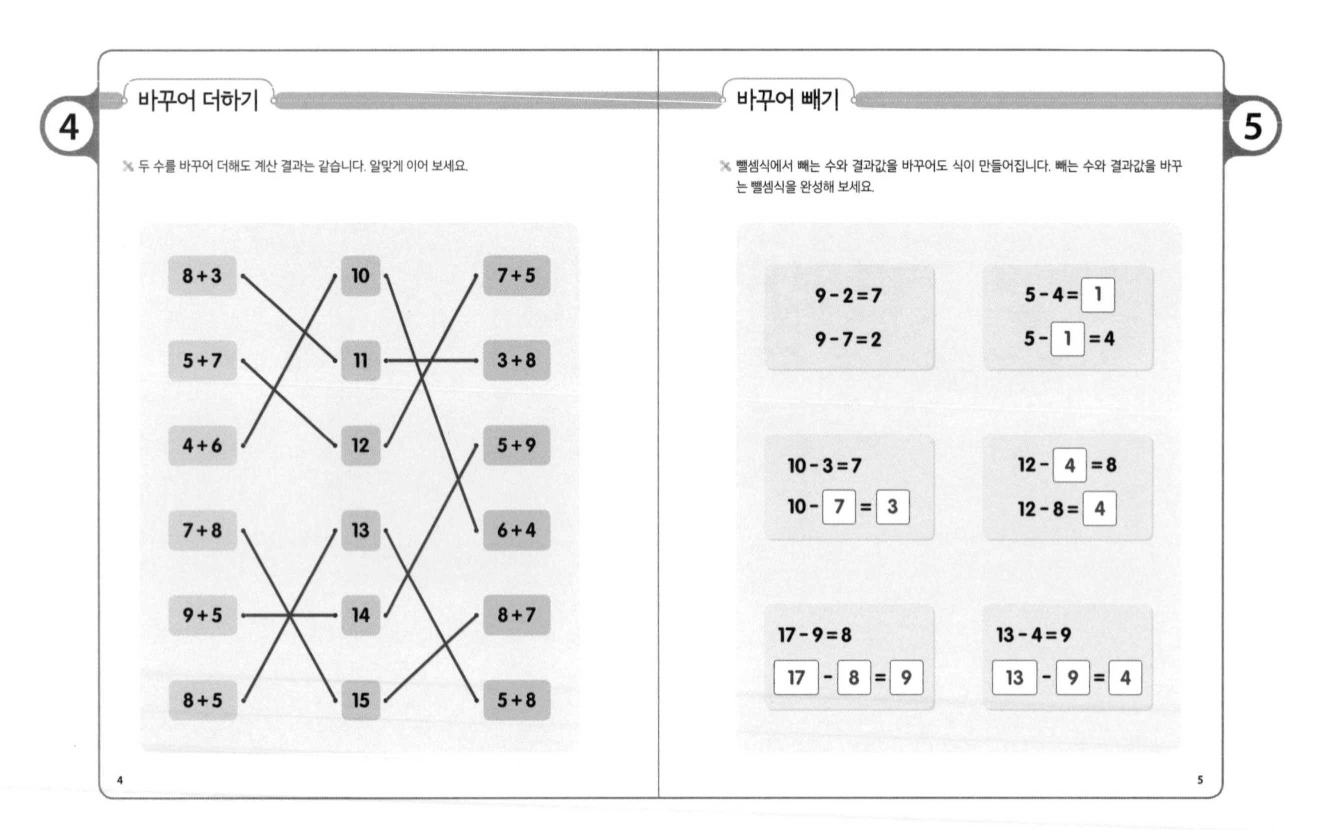
4
바꾸어 더하기
두 수를 바꾸어 더해도 계산 결과는 같습니다. 알맞게 이어 보세요.
8+3
5+7
4+6
7+8
9+5
8+5
10
11
12
13
14
15
7+5
3+8
5+9
6+4
8+7
5+8
5
바꾸어 빼기
뺄셈식에서 빼는 수와 결과값을 바꾸어도 식이 만들어집니다. 빼는 수와 결과값을 바꾸는 뺄셈식을 완성해 보세요.
9-2=7
9-7=2
5-4=1
5-1=4
10-3=7
10-7=3
12-4=8
12-8=4
17-9=8
17-8=9
13-4=9
13-9=4

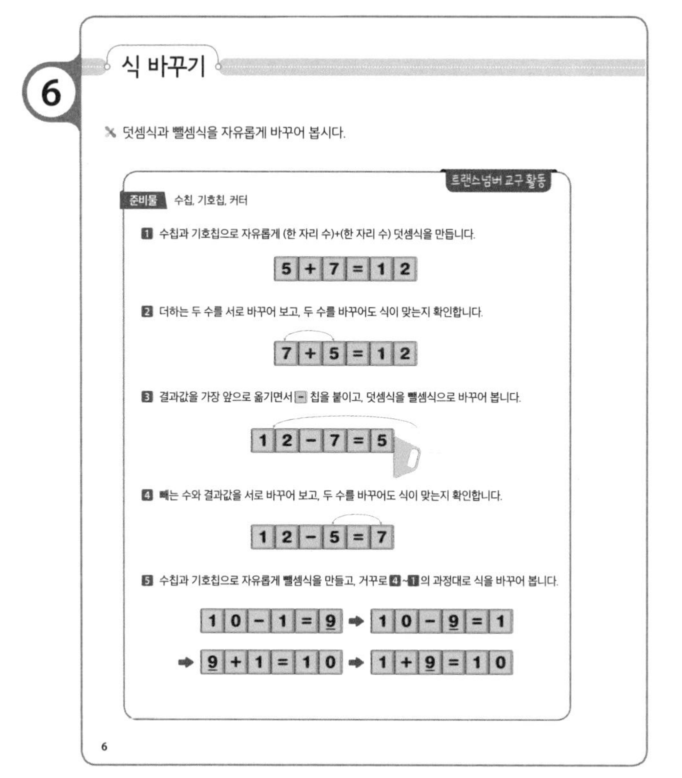

6
식 바꾸기
덧셈식과 뺄셈식을 자유롭게 바꾸어 봅시다.
트랜스넘버 교구 활동
준비물 수칩, 기호칩, 커터
1 수칩과 기호칩으로 자유롭게 (한 자리 수)+(한 자리 수) 덧셈식을 만듭니다.
5 + 7 = 1 2
2 더하는 두 수를 서로 바꾸어 보고, 두 수를 바꾸어도 식이 맞는지 확인합니다.
7 + 5 = 1 2
3 결과값을 가장 앞으로 옮기면서 - 칩을 붙이고, 덧셈식을 뺄셈식으로 바꾸어 봅니다.
1 2 - 7 = 5
4 빼는 수와 결과값을 서로 바꾸어 보고, 두 수를 바꾸어도 식이 맞는지 확인합니다.
1 2 - 5 = 7
5 수칩과 기호칩으로 자유롭게 뺄셈식을 만들고, 거꾸로 4-1의 과정대로 식을 바꾸어 봅니다.
1 0 - 1 = 9 ➡ 1 0 - 9 = 1
➡ 9 + 1 = 1 0 ➡ 1 + 9 = 1 0
6

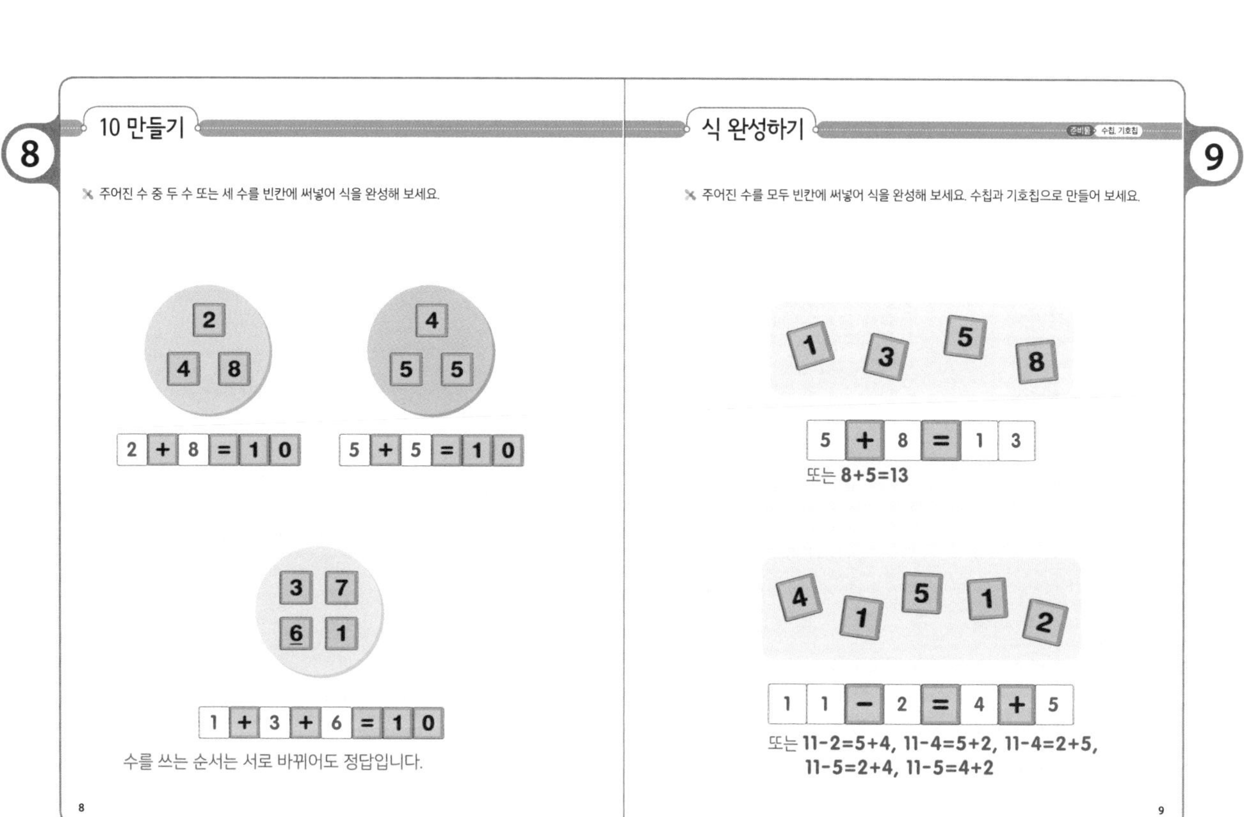

8
10 만들기
주어진 수 중 두 수 또는 세 수를 빈칸에 써넣어 식을 완성해 보세요.
2 4 8
2 + 8 = 1 0
4 5 5
5 + 5 = 1 0
3 7 6 1
1 + 3 + 6 = 1 0
수를 쓰는 순서는 서로 바뀌어도 정답입니다.
8
9
식 완성하기
준비물 수칩, 기호칩
주어진 수를 모두 빈칸에 써넣어 식을 완성해 보세요. 수칩과 기호칩으로 만들어 보세요.
1 3 5 8
5 + 8 = 1 3
또는 8+5=13
4 1 5 1 2
1 1 - 2 = 4 + 5
또는 11-2=5+4, 11-4=5+2, 11-4=2+5,
11-5=2+4, 11-5=4+2
9

트랜스넘버 A

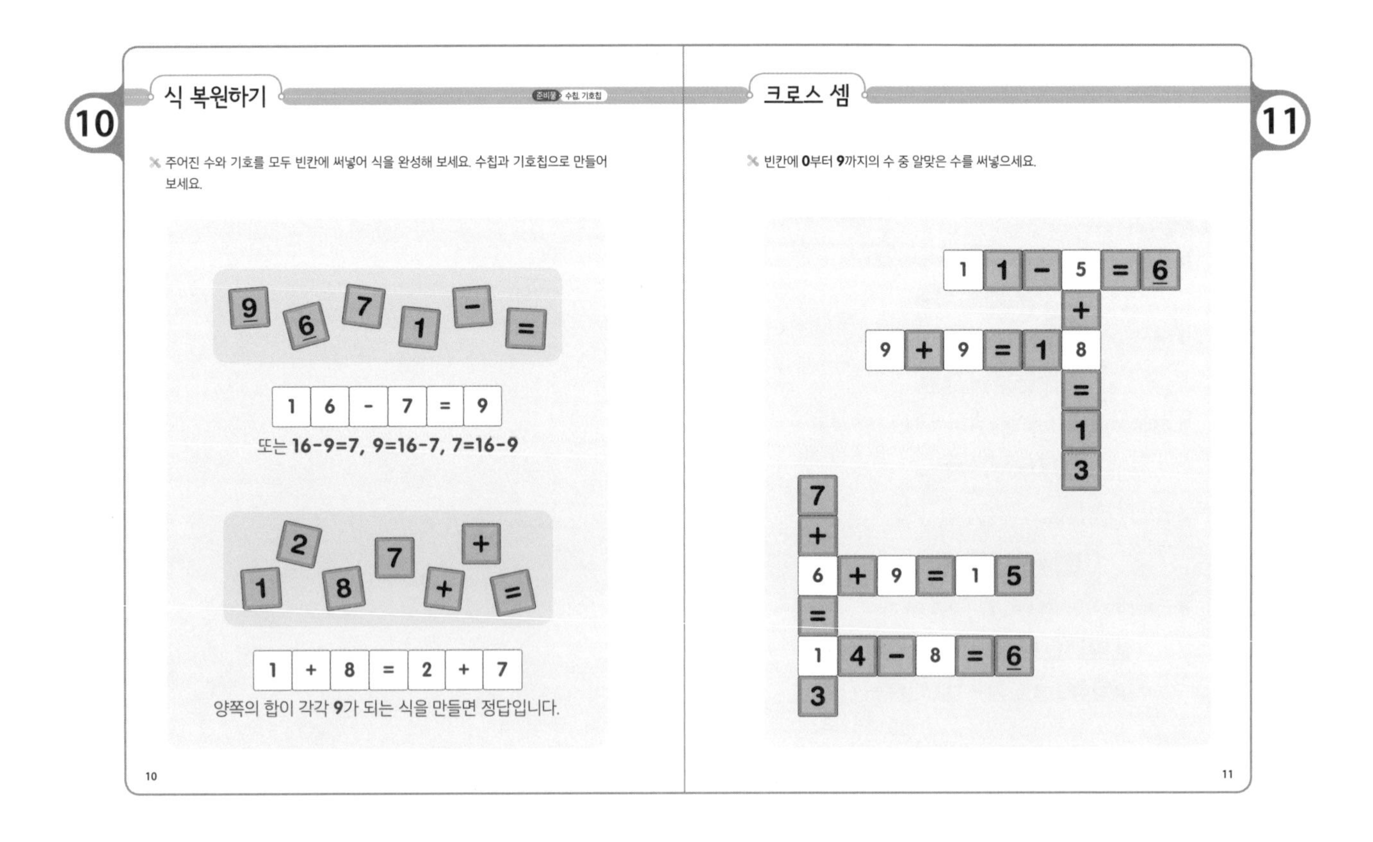
10
식 복원하기
준비물 수칩, 기호칩
주어진 수와 기호를 모두 빈칸에 써넣어 식을 완성해 보세요. 수칩과 기호칩으로 만들어 보세요.
9 6 7 1 - =
1 6 - 7 = 9
또는 16-9=7, 9=16-7, 7=16-9
2 1 8 7 + + =
1 + 8 = 2 + 7
양쪽의 합이 각각 9가 되는 식을 만들면 정답입니다.
10
크로스 셈
11
빈칸에 0부터 9까지의 수 중 알맞은 수를 써넣으세요.
1 1 - 5 = 6
9 + 9 = 1 8
7 + 6 + 9 = 1 5
1 4 - 8 = 6
3
11

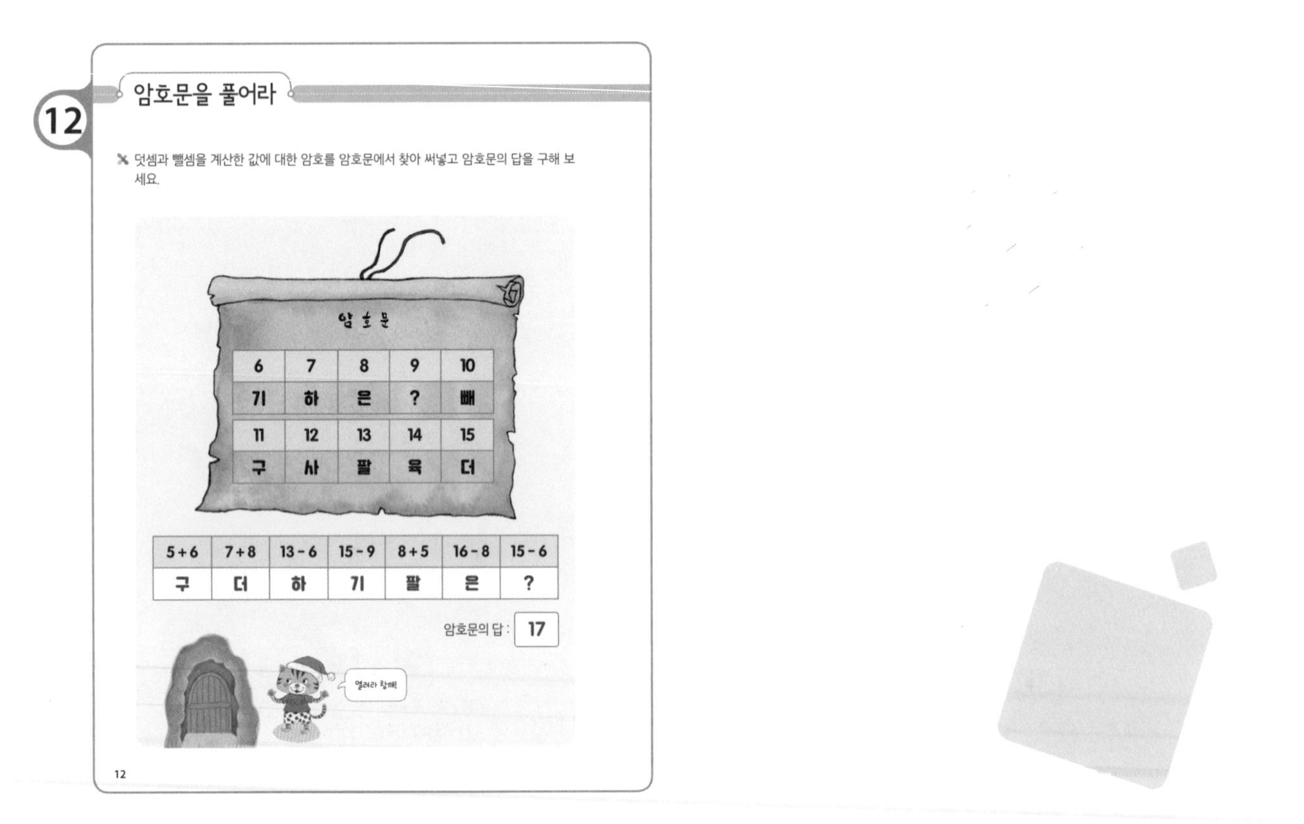
12
암호문을 풀어라
덧셈과 뺄셈을 계산한 값에 대한 암호를 암호문에서 찾아 써넣고 암호문의 답을 구해 보세요.
암호문
6 7 8 9 10
기 하 은 ? 빼
11 12 13 14 15
구 사 팔 육 더
5+6 7+8 13-6 15-9 8+5 16-8 15-6
구 더 하 기 팔 은 ?
암호문의 답 : 17
12

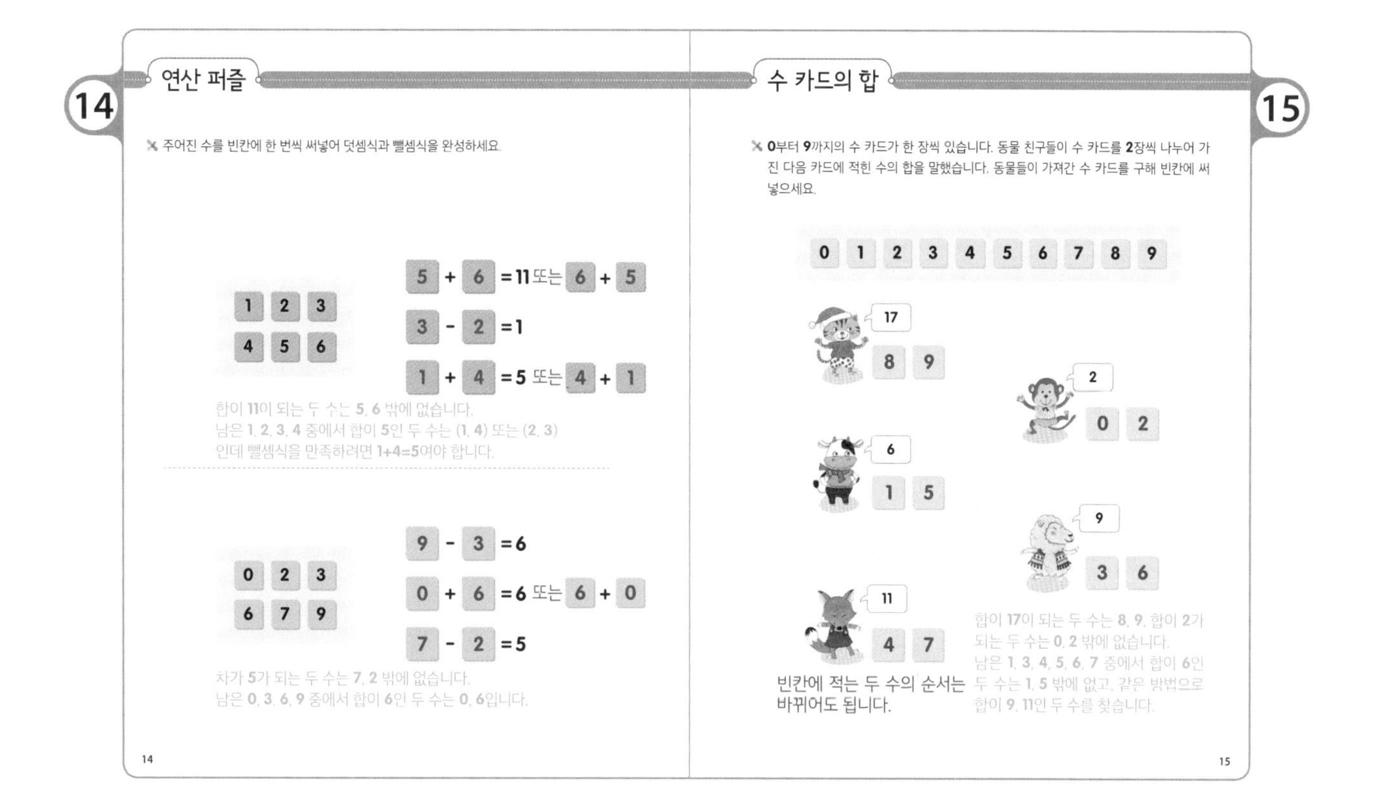

14 연산 퍼즐

주어진 수를 빈칸에 한 번씩 써넣어 덧셈식과 뺄셈식을 완성하세요.

1 2 3 4 5 6

5 + 6 = 11 또는 6 + 5

3 - 2 = 1

1 + 4 = 5 또는 4 + 1

합이 11이 되는 두 수는 5, 6 밖에 없습니다.
남은 1, 2, 3, 4 중에서 합이 5인 두 수는 (1, 4) 또는 (2, 3)
인데 뺄셈식을 만족하려면 1+4=5여야 합니다.

0 2 3 6 7 9

9 - 3 = 6

0 + 6 = 6 또는 6 + 0

7 - 2 = 5

차가 5가 되는 두 수는 7, 2 밖에 없습니다.
남은 0, 3, 6, 9 중에서 합이 6인 두 수는 0, 6입니다.

14

15 수 카드의 합

0부터 9까지의 수 카드가 한 장씩 있습니다. 동물 친구들이 수 카드를 2장씩 나누어 가진 다음 카드에 적힌 수의 합을 말했습니다. 동물들이 가져간 수 카드를 구해 빈칸에 써넣으세요.

0 1 2 3 4 5 6 7 8 9

17: 8 9

2: 0 2

6: 1 5

9: 3 6

11: 4 7

빈칸에 적는 두 수의 순서는 바뀌어도 됩니다.

합이 17이 되는 두 수는 8, 9, 합이 2가 되는 두 수는 0, 2 밖에 없습니다.
남은 1, 3, 4, 5, 6, 7 중에서 합이 6인 두 수는 1, 5 밖에 없고, 같은 방법으로 합이 9, 11인 두 수를 찾습니다.

15

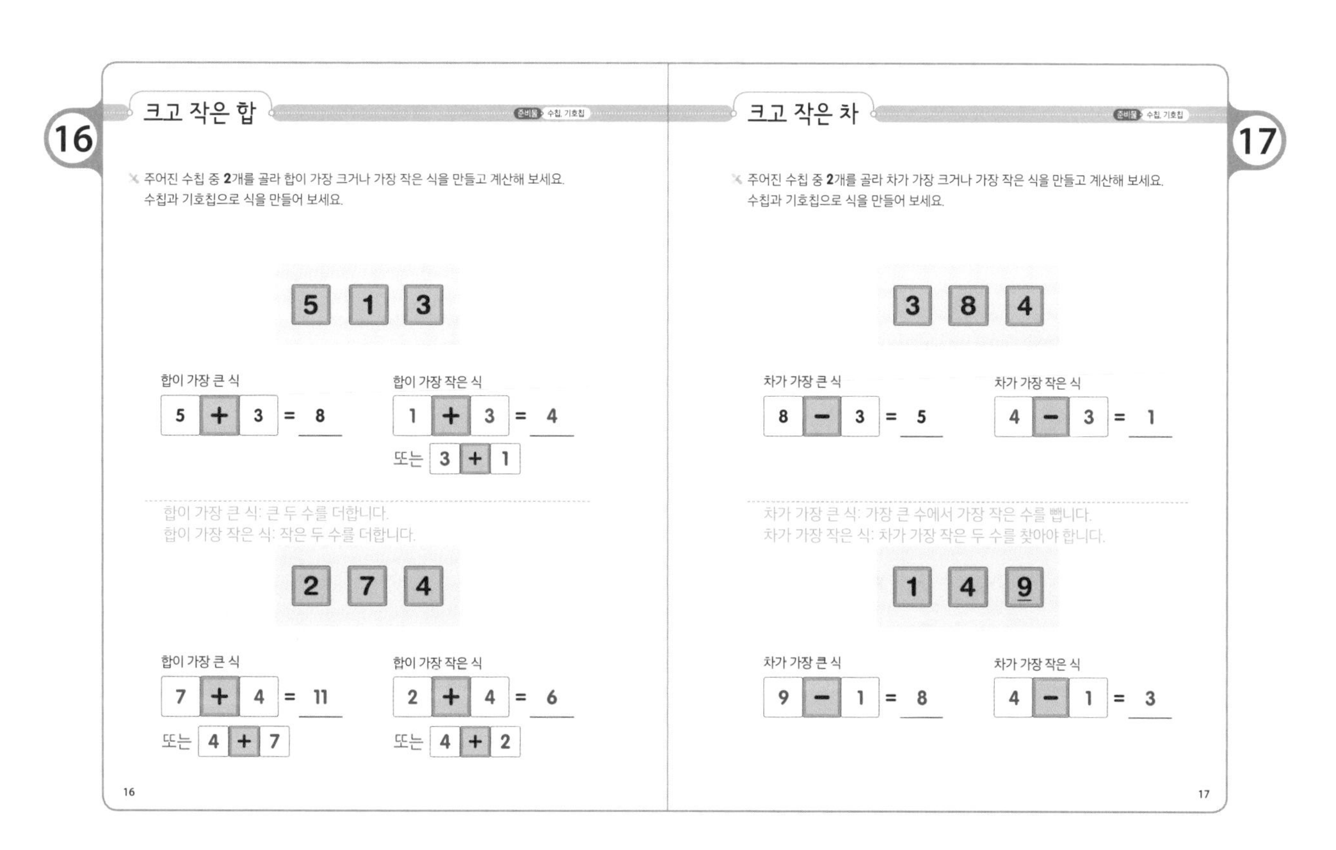

16 크고 작은 합

준비물 수칩 기호칩

주어진 수칩 중 2개를 골라 합이 가장 크거나 가장 작은 식을 만들고 계산해 보세요.
수칩과 기호칩으로 식을 만들어 보세요.

5 1 3

합이 가장 큰 식: 5 + 3 = 8

합이 가장 작은 식: 1 + 3 = 4 또는 3 + 1

합이 가장 큰 식: 큰 두 수를 더합니다.
합이 가장 작은 식: 작은 두 수를 더합니다.

2 7 4

합이 가장 큰 식: 7 + 4 = 11 또는 4 + 7

합이 가장 작은 식: 2 + 4 = 6 또는 4 + 2

16

17 크고 작은 차

준비물 수칩 기호칩

주어진 수칩 중 2개를 골라 차가 가장 크거나 가장 작은 식을 만들고 계산해 보세요.
수칩과 기호칩으로 식을 만들어 보세요.

3 8 4

차가 가장 큰 식: 8 − 3 = 5

차가 가장 작은 식: 4 − 3 = 1

차가 가장 큰 식: 가장 큰 수에서 가장 작은 수를 뺍니다.
차가 가장 작은 식: 차가 가장 작은 두 수를 찾아야 합니다.

1 4 9

차가 가장 큰 식: 9 − 1 = 8

차가 가장 작은 식: 4 − 1 = 3

17

트랜스넘버 A

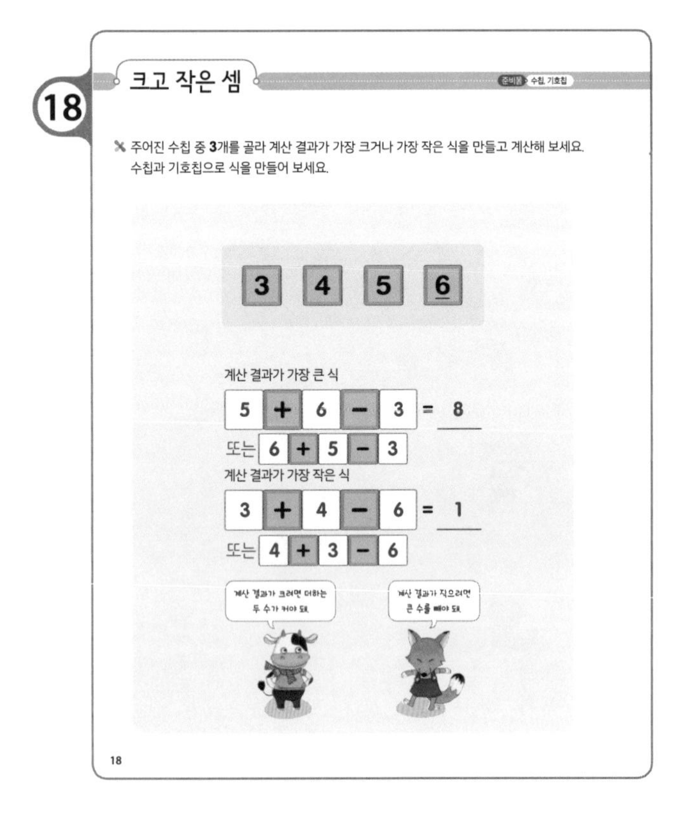
18
크고 작은 셈
준비물 수칩, 기호칩
주어진 수칩 중 3개를 골라 계산 결과가 가장 크거나 가장 작은 식을 만들고 계산해 보세요.
수칩과 기호칩으로 식을 만들어 보세요.
3 4 5 6
계산 결과가 가장 큰 식
5 + 6 − 3 = 8
또는 6 + 5 − 3
계산 결과가 가장 작은 식
3 + 4 − 6 = 1
또는 4 + 3 − 6
18

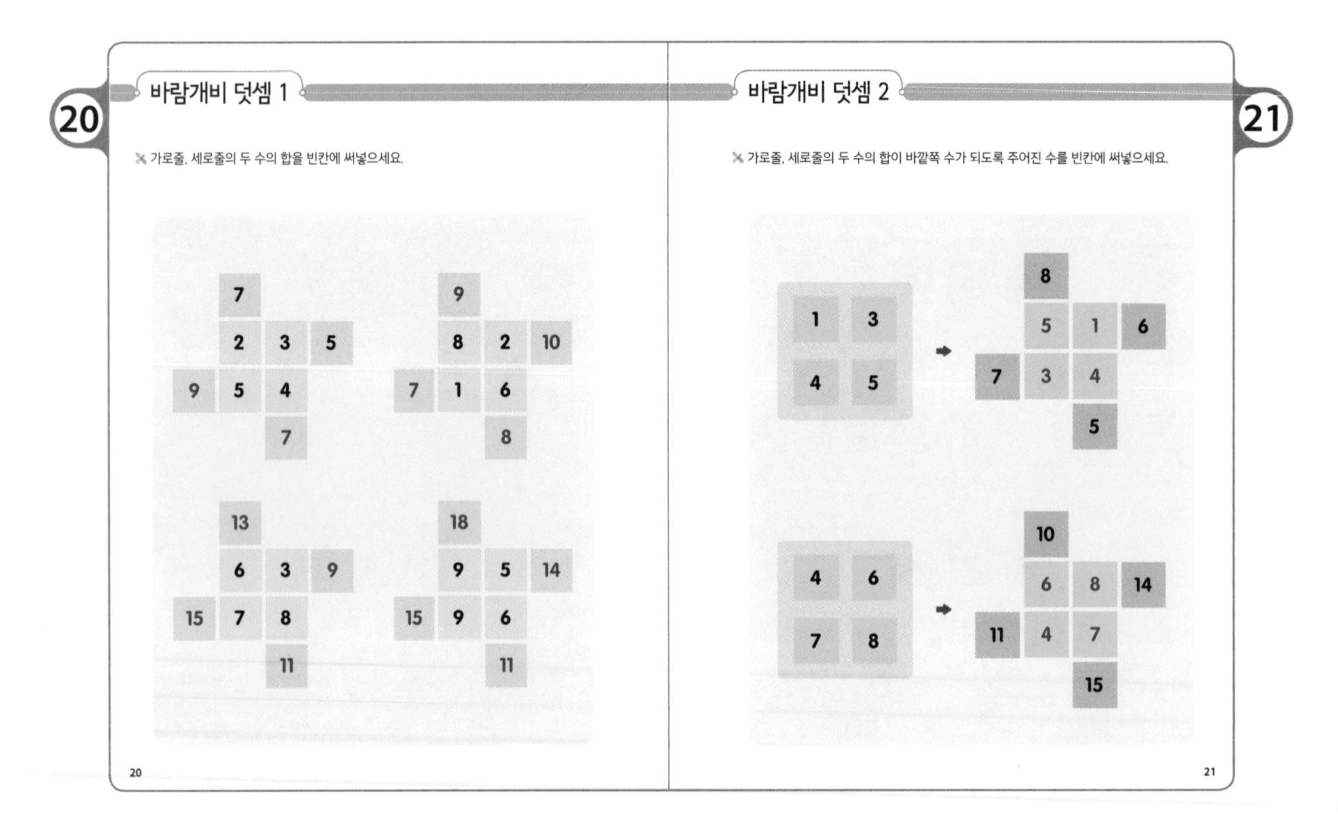
20
바람개비 덧셈 1
가로줄, 세로줄의 두 수의 합을 빈칸에 써넣으세요.
21
바람개비 덧셈 2
가로줄, 세로줄의 두 수의 합이 바깥쪽 수가 되도록 주어진 수를 빈칸에 써넣으세요.
20
21

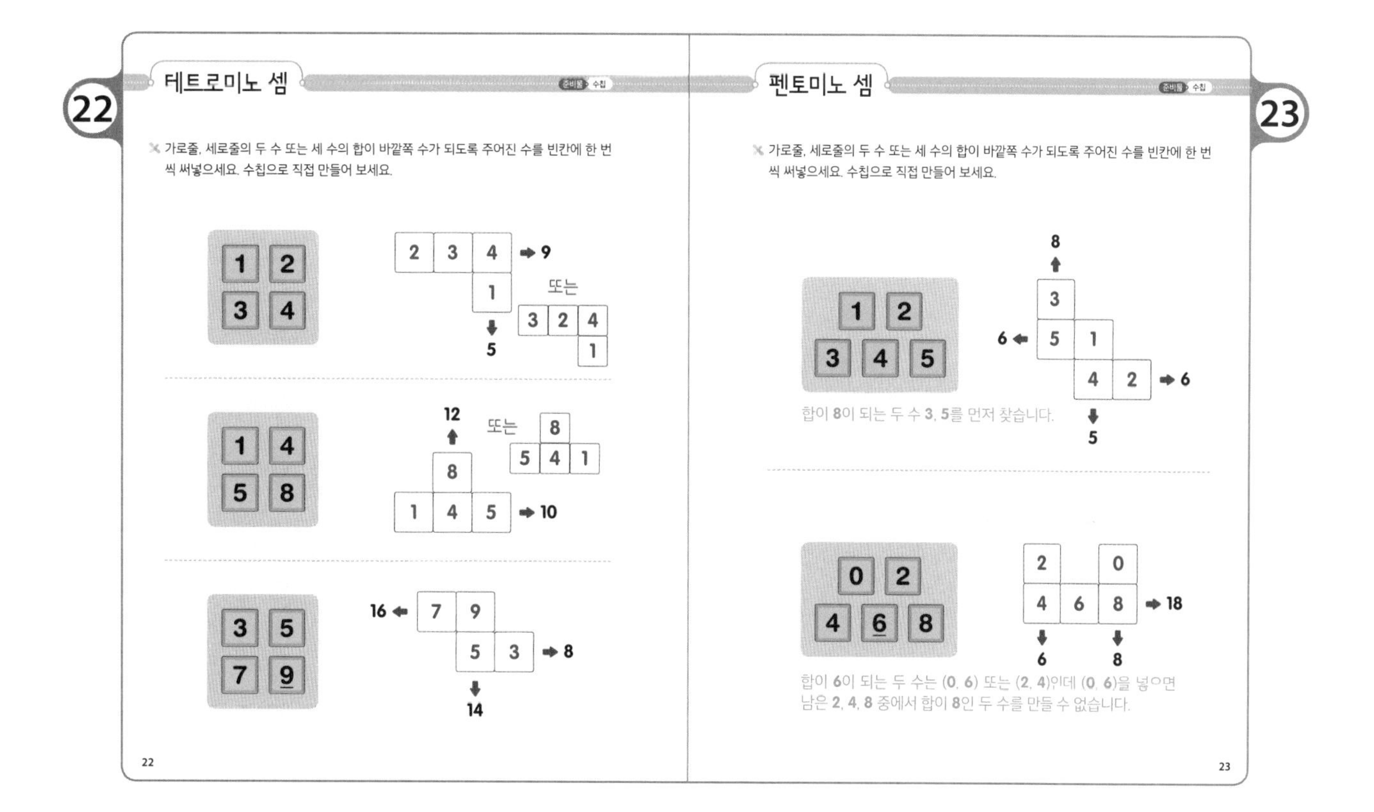

22 테트로미노 셈

준비물 수칩

✕ 가로줄, 세로줄의 두 수 또는 세 수의 합이 바깥쪽 수가 되도록 주어진 수를 빈칸에 한 번씩 써넣으세요. 수칩으로 직접 만들어 보세요.

1 2 / 3 4 → 2 3 4 → 9, 1 ↓ 5 (또는 3 2 4, 1)

1 4 / 5 8 → 12 ↑ 8, 1 4 5 → 10 (또는 8, 5 4 1)

3 5 / 7 9 → 16 ← 7 9, 5 3 → 8, ↓ 14

22

23 펜토미노 셈

준비물 수칩

✕ 가로줄, 세로줄의 두 수 또는 세 수의 합이 바깥쪽 수가 되도록 주어진 수를 빈칸에 한 번씩 써넣으세요. 수칩으로 직접 만들어 보세요.

1 2 / 3 4 5 → 8 ↑ 3, 6 ← 5 1, 4 2 → 6, ↓ 5

합이 8이 되는 두 수 3, 5를 먼저 찾습니다.

0 2 / 4 6 8 → 2 0, 4 6 8 → 18, ↓ 6 ↓ 8

합이 6이 되는 두 수는 (0, 6) 또는 (2, 4)인데 (0, 6)을 넣으면 남은 2, 4, 8 중에서 합이 8인 두 수를 만들 수 없습니다.

23

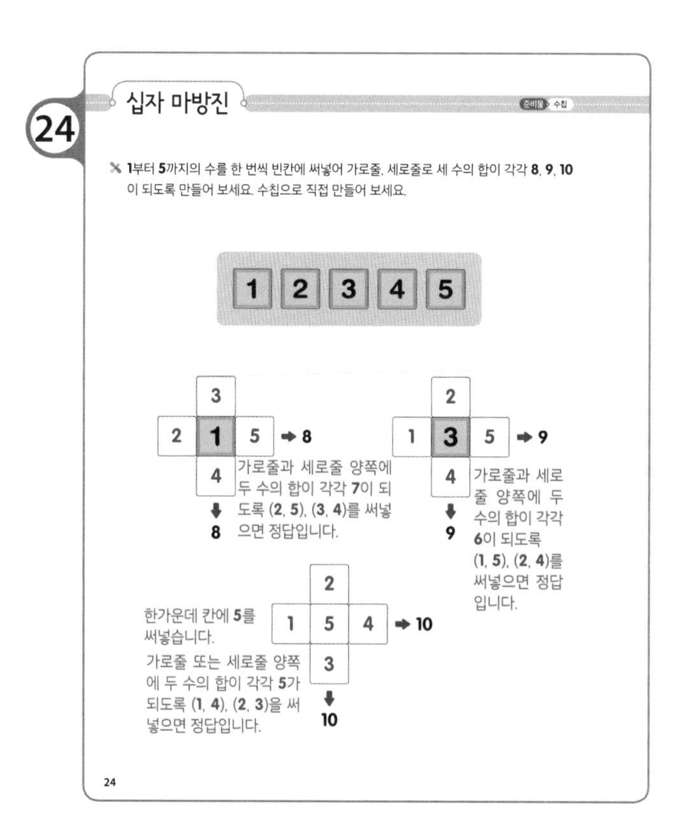

24 십자 마방진

준비물 수칩

✕ 1부터 5까지의 수를 한 번씩 빈칸에 써넣어 가로줄, 세로줄로 세 수의 합이 각각 8, 9, 10이 되도록 만들어 보세요. 수칩으로 직접 만들어 보세요.

1 2 3 4 5

3 / 2 1 5 → 8 / 4 ↓ 8

가로줄과 세로줄 양쪽에 두 수의 합이 각각 7이 되도록 (2, 5), (3, 4)를 써넣으면 정답입니다.

2 / 1 3 5 → 9 / 4 ↓ 9

가로줄과 세로줄 양쪽에 두 수의 합이 각각 6이 되도록 (1, 5), (2, 4)를 써넣으면 정답입니다.

2 / 1 5 4 → 10 / 3 ↓ 10

한가운데 칸에 5를 써넣습니다.
가로줄 또는 세로줄 양쪽에 두 수의 합이 각각 5가 되도록 (1, 4), (2, 3)을 써넣으면 정답입니다.

24

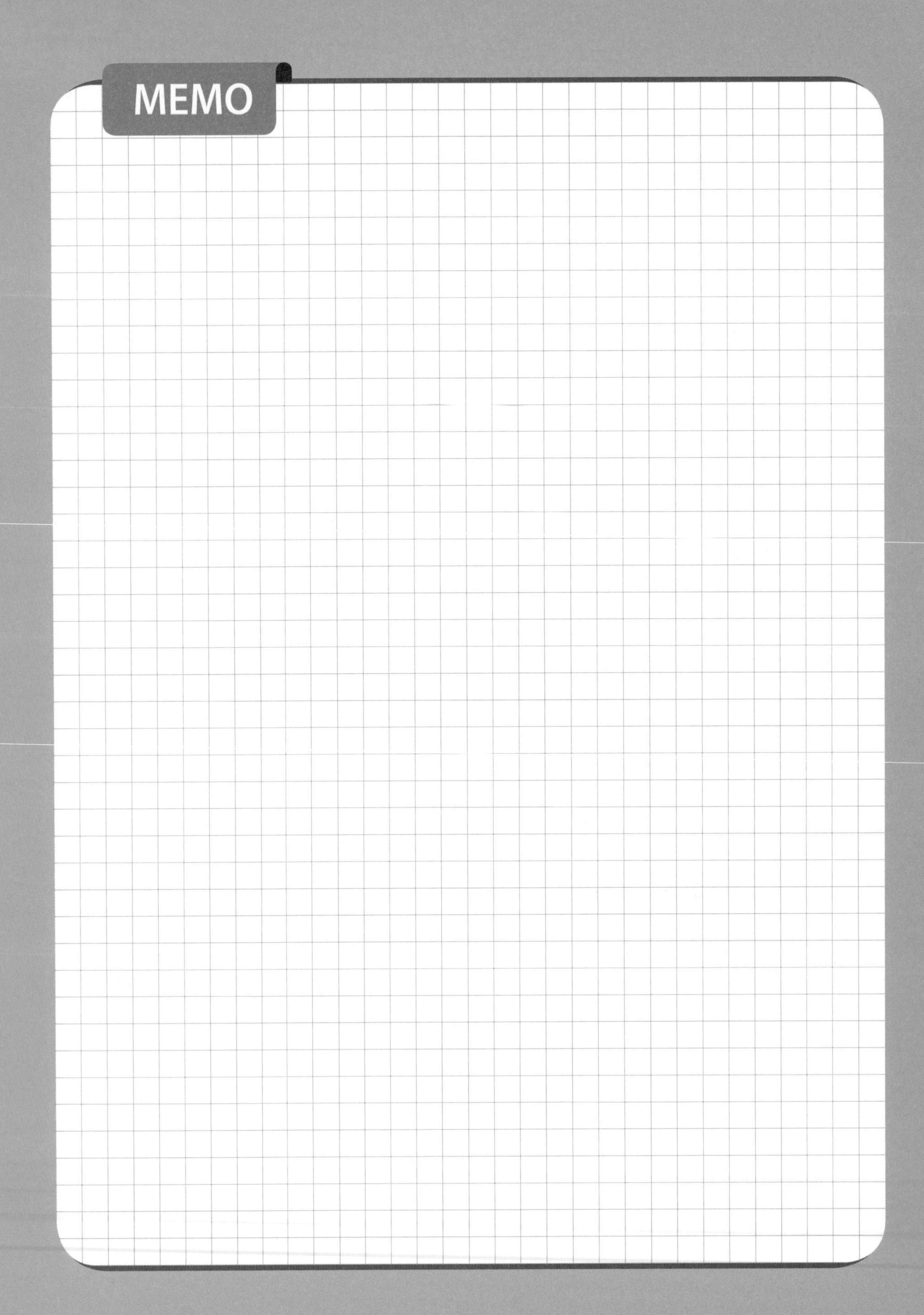
MEMO

초등 수학 교구 상자

평면 공간감각을 길러주는 회전 펜토미노 퍼즐

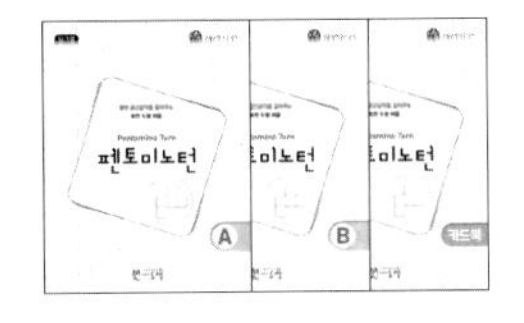

펜토미노턴

초등학생들이 어려워하는 '평면도형의 이동'을 펜토미노와 패턴블록으로 도형을 직접 돌려보며 재미있게 해결하는 공간감각 퍼즐입니다.

입체 공간감각을 길러주는 멀티큐브 퍼즐

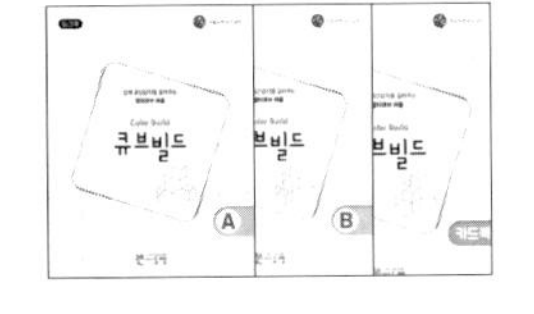

큐브빌드

머릿속으로 그리기 어려운 입체도형을 쌓기나무와 멀티큐브를 이용하여 직접 만들어 위, 앞, 옆 모양을 관찰하고, 다양한 입체 모양을 만드는 공간감각 퍼즐입니다.

도형감각을 길러주는 입체 칠교 퍼즐

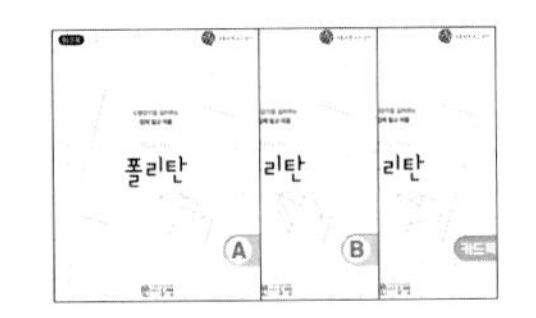

폴리탄

정사각형을 7조각으로 자른 '입체 칠교'와 직각이등변삼각형을 붙인 '입체 볼로'를 활용하여 평면뿐만 아니라 다양한 입체도형 문제를 해결하는 퍼즐입니다.

수 감각을 길러주는 창의 연산 보드 게임

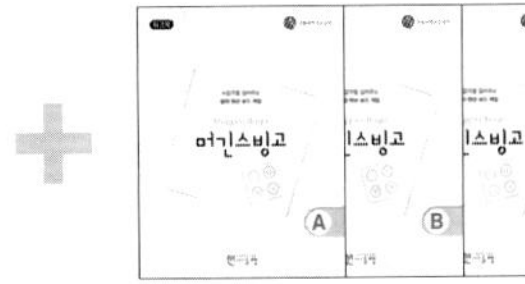

머긴스빙고

빙고 게임과 머긴스 게임을 활용하여 수 감각과 연산 능력을 끌어올리고 전략적 사고를 키우는 사고력 보드 게임입니다.

공간감각을 길러주는 입체 폴리오미노 보드 게임

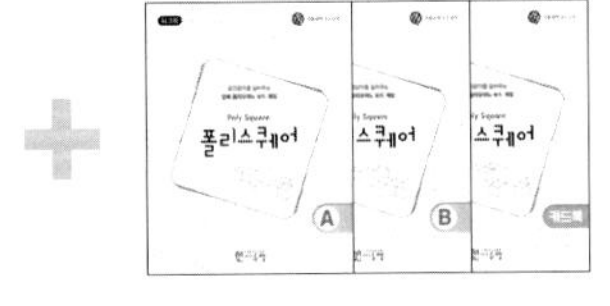

폴리스퀘어

모노미노부터 펜토미노까지의 폴리오미노를 이용하여 다양한 모양을 만들어 보고, 공간을 차지하는 게임으로 공간감각을 키우는 공간 점령 보드 게임입니다.

자유자재로 식을 만드는 멀티 숫자 퍼즐

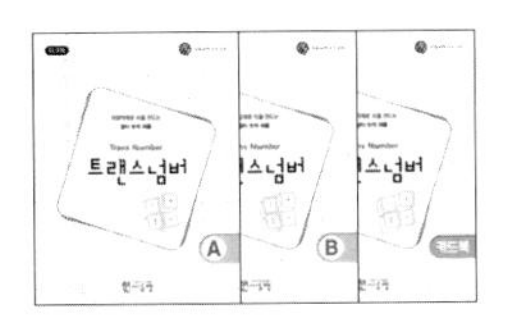

트랜스넘버

자유자재로 식을 만들고 이를 변형, 응용하는 활동을 통해 연산 원리와 연산감각을 길러주는 멀티 숫자 퍼즐입니다.

I hear and I forget 듣기만 한 것은 잊어버리고

I see and I remember 본 것은 기억되지만

I do and I understand 직접 해 본 것은 이해가 된다

Trans Number

트랜스넘버

펴낸곳: ㈜씨투엠에듀 **발행인:** 한헌조

모델명: 필즈엠_트랜스넘버
제조년월: 2020년 5월
주소 및 전화번호: 경기도 수원시 장안구 파장로 7(태영빌딩 3층) / 031-548-1191
제조국명: 한국

워크북
씨투엠
초등 수학 교구 상자
자유자재로 식을 만드는
멀티 숫자 퍼즐
Trans Number
트랜스넘버
1
+
2
÷
B
Creative to Math
씨투엠

차 례

"꿈꾸는 아이들을 위한 교육 사다리"

논리와 재미, 즐거운 수학 교육을 위한 최고의 콘텐츠를 만들겠습니다

- 법인명: ㈜씨투엠에듀(C2MEDU corp.)
- CEO: 한헌조
- 창립연도: 2014년 10월
- 홈페이지: www.c2medu.co.kr

01 덧셈식 복원

연관 활동: 교구 매뉴얼 activity 1

벌레 먹은 셈의 유래

옛날 중국의 한 장사꾼이 닥종이로 만든 장부를 가지고 있었습니다. 장사꾼은 친구에게 돈을 빌려주거나 장사를 하여 벌어들인 돈을 꼬박꼬박 장부에 기록했습니다. 어느 날 장사꾼이 빌려준 돈을 확인하려고 장부를 펼쳤는데 벌레가 닥종이를 파먹어 수가 군데군데 사라져 버렸습니다. 고민하던 장사꾼은 위와 아래에 적힌 수들의 관계를 이용하여 사라진 부분의 수를 알아내었고 이것이 벌레 먹은 셈의 시초가 되었습니다.

벌레 먹은 셈은 사칙연산으로 이루어진 식에서 몇 개의 수를 지워놓고 지워진 부분의 수를 추리하는 셈으로 추리력과 사고력을 기르는 데 도움이 됩니다. 벌레 먹은 덧셈과 뺄셈에서는 받아올림과 받아내림을 이용하고 벌레 먹은 곱셈과 나눗셈에서는 곱의 일의 자리 숫자를 이용하여 지워진 곳에 들어갈 수를 추리할 수 있습니다.

식 완성하기

주어진 수를 한 번씩 빈칸에 써넣어 식을 완성해 보세요.

1, 2, 3, 5

2□ + 4 = □7

□7 − □ = 56

0, 2, 4, 5

18 + □ = □2

6□ − 3 = □7

3, 3, 4, 8

75 + □ = 8□

□2 − 3 = □9

100 만들기

준비물 수칩, 기호칩, 세로셈 막대

주어진 수 중 **4**개를 빈칸에 써넣어 식을 완성해 보세요. 수칩과 기호칩으로 만들어 보세요.

식 복원하기

준비물 수칩, 기호칩, 세로셈 막대

주어진 수와 기호를 모두 빈칸에 써넣어 세로셈 식을 완성해 보세요. 수칩과 기호칩으로 만들어 보세요.

수칩 **2**개를 서로 맞바꾸면 올바른 식이 됩니다. 맞바꾸는 수칩 **2**개에 각각 ○표 하고, 올바른 식을 써 보세요.

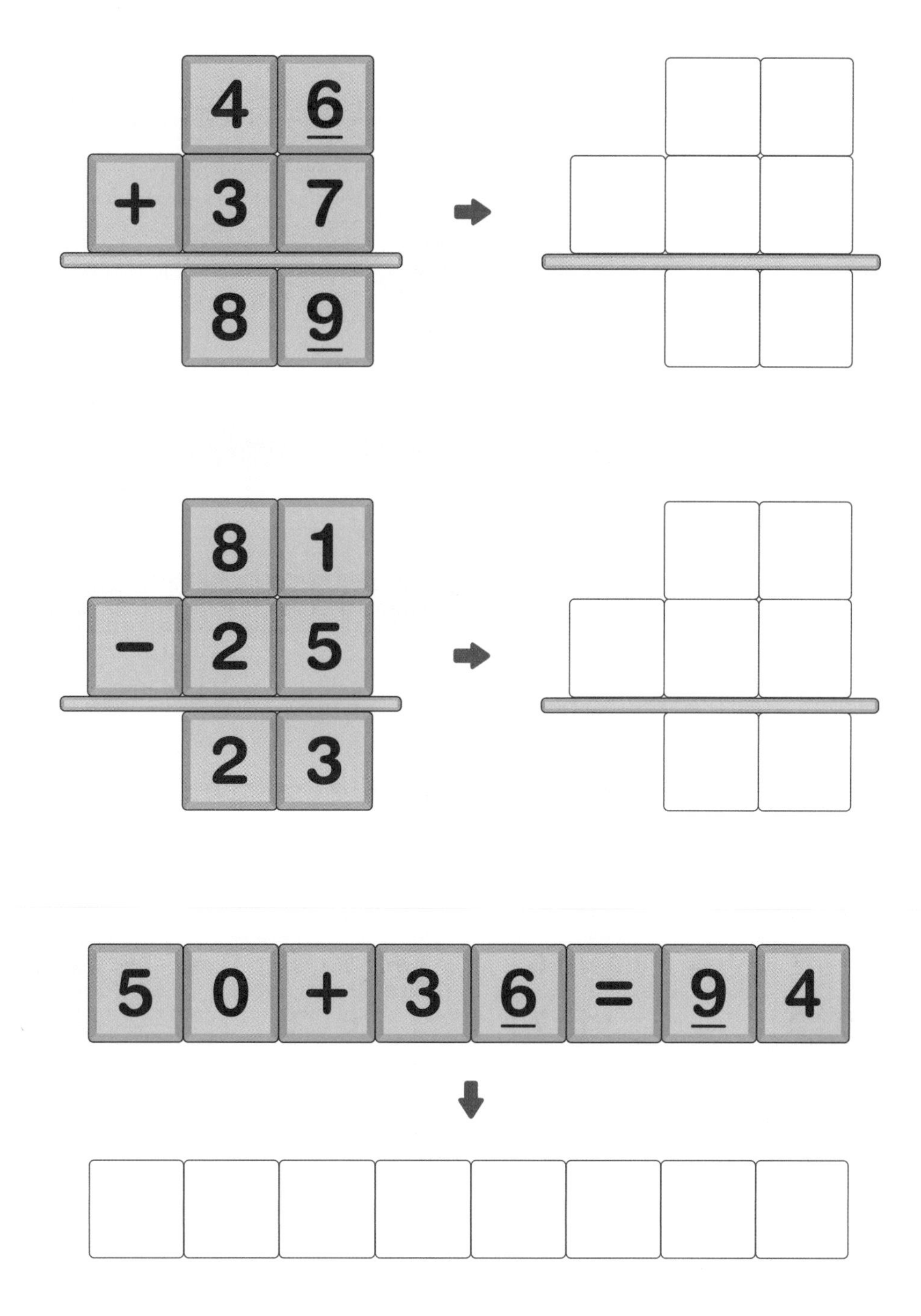

세로셈과 가로셈

세로셈 식을 가로셈 식으로, 덧셈식을 뺄셈식으로 바꾸어 봅시다.

트랜스넘버 교구 활동

준비물 수칩, 기호칩, 세로셈 막대, 커터

1 수칩과 기호칩, 세로셈 막대로 자유롭게 (두 자리 수)+(두 자리 수) 덧셈식을 만듭니다.

2 세로셈 막대를 빼고 = 칩을 사용하여 세로셈 식을 가로셈 식으로 바꾸어 봅니다.

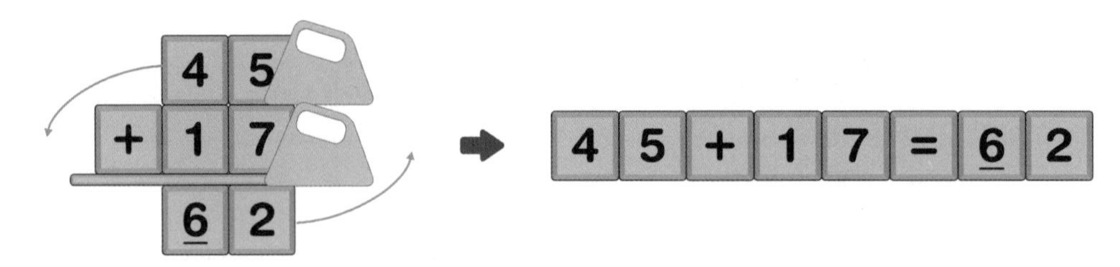

3 다시 세로셈 식에서 + 칩을 빼고 - 칩을 사용하여 덧셈식을 뺄셈식으로 바꾸어 봅니다.

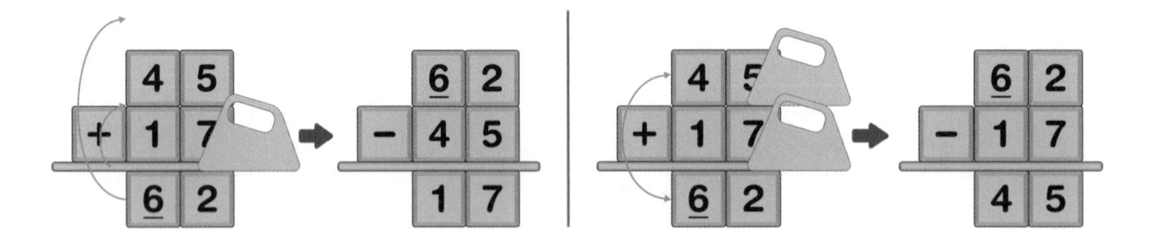

4 가로셈 식을 세로셈 식으로, 뺄셈식을 덧셈식으로 바꾸는 활동도 해 봅니다.

곱셈과 나눗셈

연관 활동: 교구 매뉴얼 activity 1

곱셈과 나눗셈

물건을 셀 때 2개씩, 5개씩 등으로 묶어 세면 편리하고 빨리 셀 수 있습니다. 실제 생활에서 많은 물건을 셀 때 2, 4, 6, 8, …… 또는 5, 10, 15, ……처럼 묶어 셉니다.

곱셈은 묶어 세기를 '×' 기호를 사용하여 간단하게 나타낸 것입니다. 귤 14개를 2개씩 묶어 셀 때 덧셈식으로 나타내면 2+2+2+2+2+2+2=14이고 곱셈식으로 나타내면 2×7=14입니다. 2는 한 묶음 안의 귤의 수를, 7은 묶음의 수입니다. 곱셈식은 7×2=14와 같이 두 수를 바꾸어 곱해도 결과가 같습니다.

나눗셈은 곱셈과 반대로 주어진 개수를 똑같이 나눌 때 이용합니다. 귤 14개를 2개씩 묶으면 모두 7묶음이 나오고 나눗셈식으로 나타내면 14÷2=7입니다. 또한 귤 14개를 똑같이 7묶음으로 나누면 한 묶음에는 귤이 2개씩 있고 나눗셈식으로 나타내면 14÷7=2입니다.

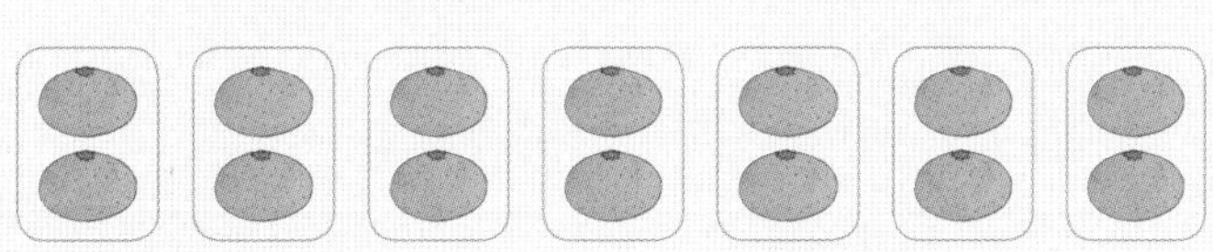

2개씩 7묶음
2+2+2+2+2+2+2=14
2×7=14

14÷2=7
14÷7=2

덧셈식과 곱셈식

모눈 칸의 수를 가로줄과 세로줄로 셉니다. 덧셈식 **2**개와 곱셈식 **2**개로 나타내세요.

$5+5=10$

$5\times2=10$

$2+2+2+2+2=10$

$2\times5=10$

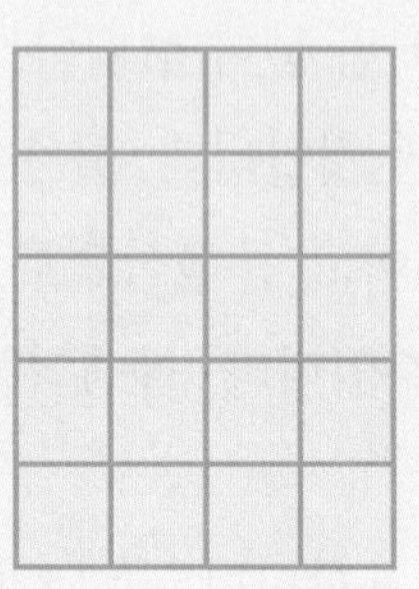

나눗셈식

과일을 묶은 그림을 보고 나눗셈식 **2**개를 써 보세요.

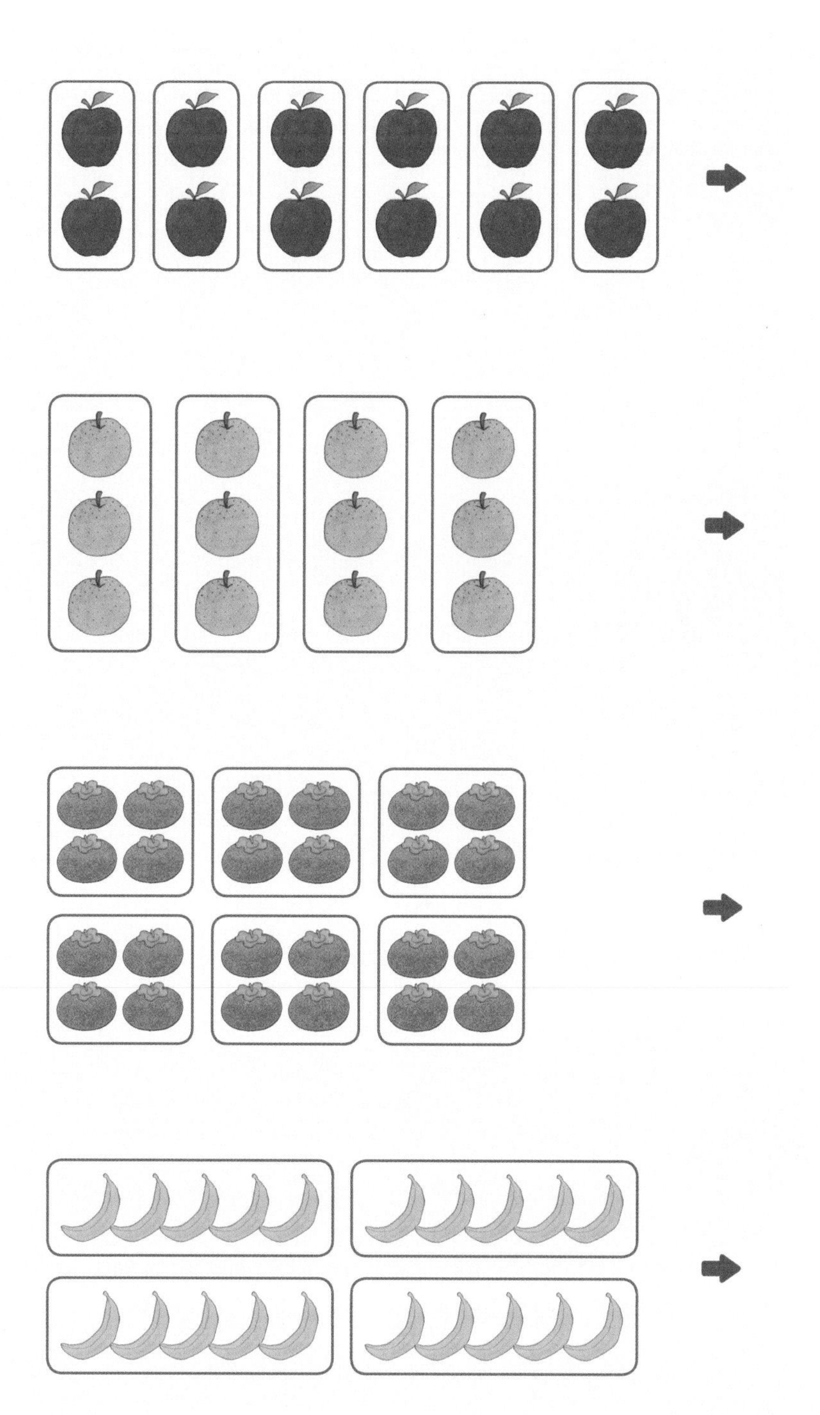

$12 \div 2 = 6$

$12 \div 6 = 2$

식 만들기

주어진 수 중 **3**개를 이용하여 곱셈식과 나눗셈식을 만들어 보세요.

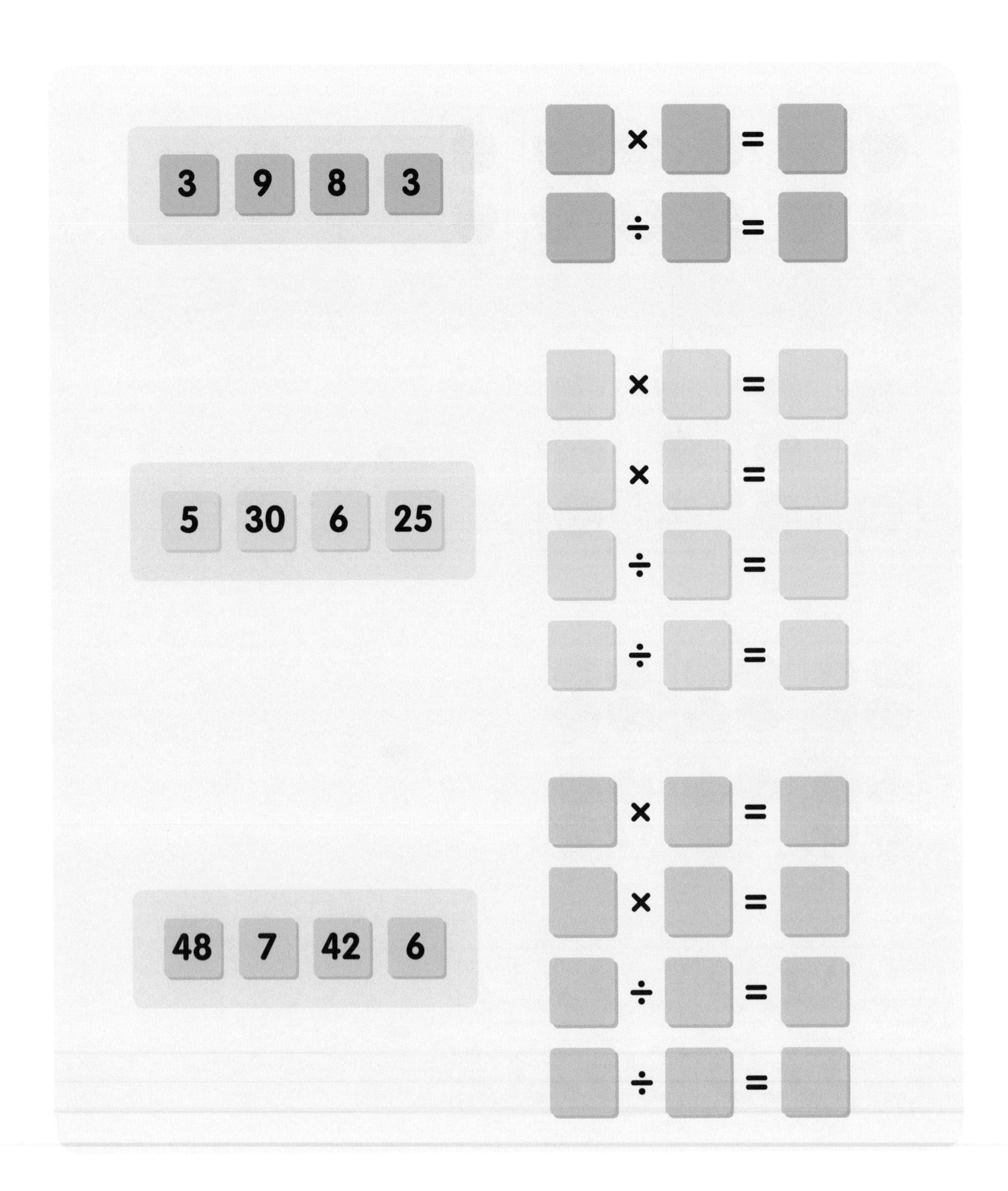

곱셈식과 나눗셈식

곱셈식은 나눗셈식으로 나타내고, 나눗셈식은 곱셈식으로 나타내어 보세요.

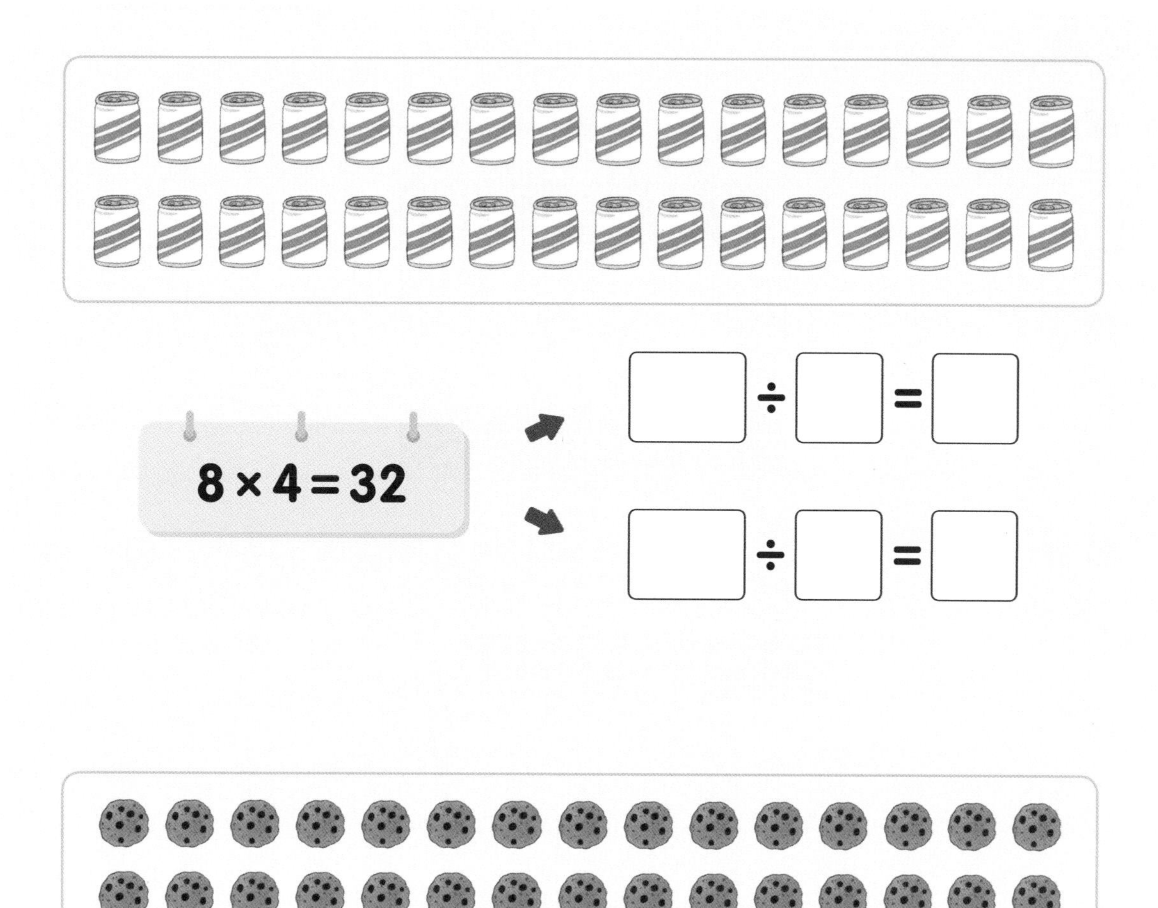

45 ÷ 9 = 5

→ □ × □ = □

→ □ × □ = □

식 바꾸기

곱셈식과 나눗셈식을 자유롭게 바꾸어 봅시다.

트랜스넘버 교구 활동

준비물 수칩, 기호칩, 커터

1 수칩과 기호칩으로 자유롭게 (한 자리 수)×(한 자리 수) 곱셈식을 만듭니다.

4 × 9 = 3 6

2 곱하는 두 수를 서로 바꾸어 보고, 두 수를 바꾸어도 식이 맞는지 확인합니다.

9 × 4 = 3 6

3 결과값을 가장 앞으로 옮기면서 ÷ 칩을 붙이고, 곱셈식을 나눗셈식으로 바꾸어 봅니다.

3 6 ÷ 9 = 4

4 나누는 수와 몫을 서로 바꾸어 보고, 두 수를 바꾸어도 식이 맞는지 확인합니다.

3 6 ÷ 4 = 9

5 수칩과 기호칩으로 자유롭게 나눗셈식을 만들고, 거꾸로 **4**~**1**의 과정대로 식을 바꾸어 봅니다.

8 ÷ 4 = 2 ➡ 8 ÷ 2 = 4

➡ 2 × 4 = 8 ➡ 4 × 2 = 8

03 곱셈식 복원

연관 활동: 교구 매뉴얼 activity 1, 2, 3

손가락 구구단

프랑스에서는 구구단을 5×5까지만 외운다고 합니다. 6 이상 수끼리의 곱셈은 손가락으로 계산하는 방법이 있기 때문입니다.
손가락으로 6부터 9까지의 수를 표시하는 방법은 오른쪽과 같습니다.

6

7

8

9

손가락으로 6 이상 수끼리의 곱셈을 하는 방법을 알아봅시다.
먼저 왼손과 오른손으로 각각 곱하는 두 수를 표시합니다. 그런 다음 접힌 손가락끼리는 더해서 십의 자리 숫자를 만들고, 펼쳐진 손가락끼리는 곱해서 일의 자리 숫자를 만듭니다.

·9×7 계산하기

9
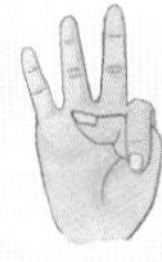
7

① 왼손으로 9, 오른손으로 7을 표시합니다.
② 접힌 손가락끼리 더해서 십의 자리 숫자를 만듭니다.(4+2=6)
③ 펼쳐진 손가락끼리 곱해서 일의 자리 숫자를 만듭니다.(1×3=3)
④ 9×7=63

식 완성하기

주어진 수를 한 번씩 빈칸에 써넣어 식을 완성해 보세요.

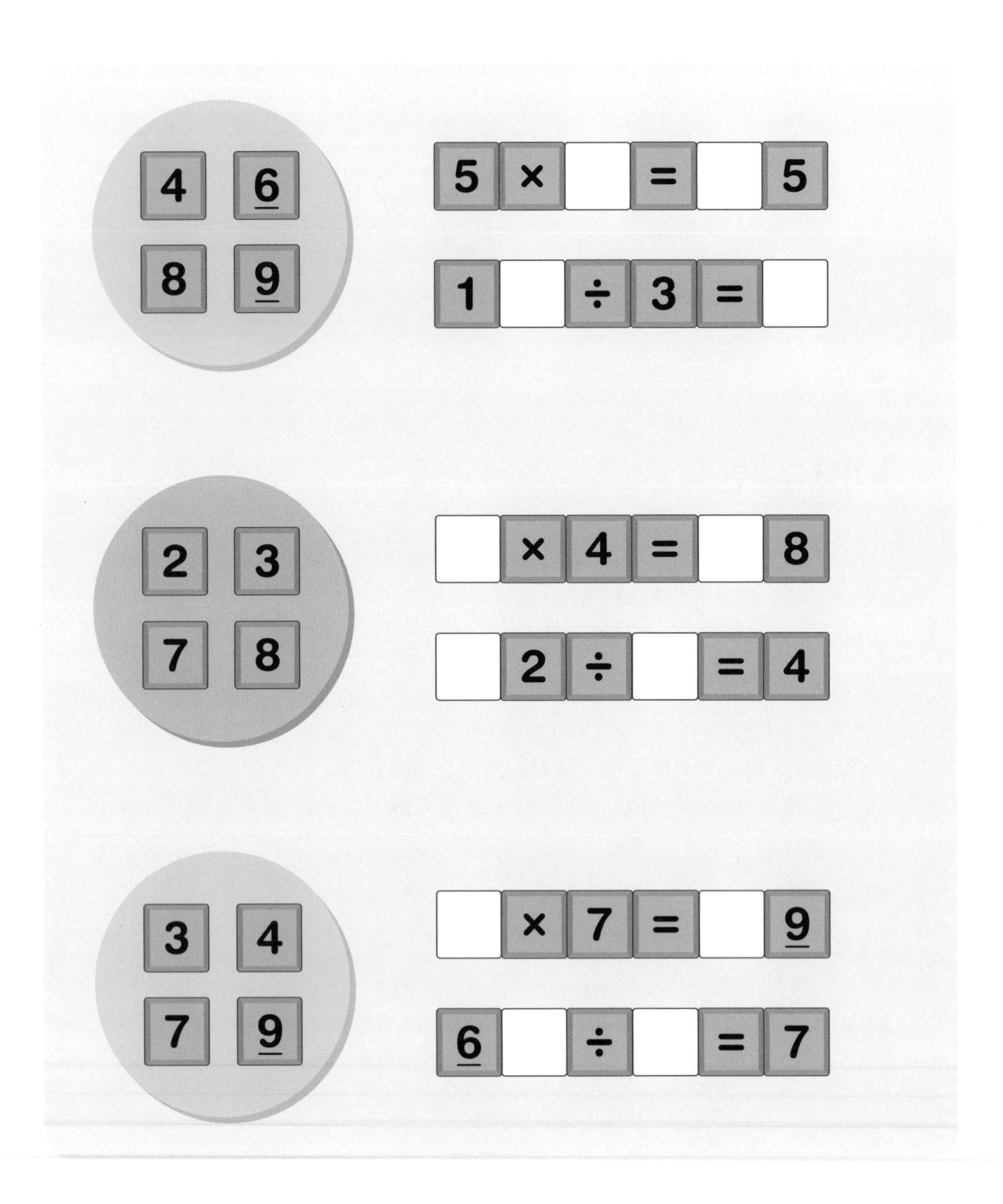

식 복원하기 1

준비물 수칩, 기호칩

주어진 수와 기호를 모두 빈칸에 써넣어 식을 완성해 보세요. 수칩과 기호칩으로 만들어 보세요.

식 복원하기 2

준비물 수칩, 기호칩

주어진 수와 기호를 모두 빈칸에 써넣어 식을 완성해 보세요. 수칩과 기호칩으로 만들어 보세요.

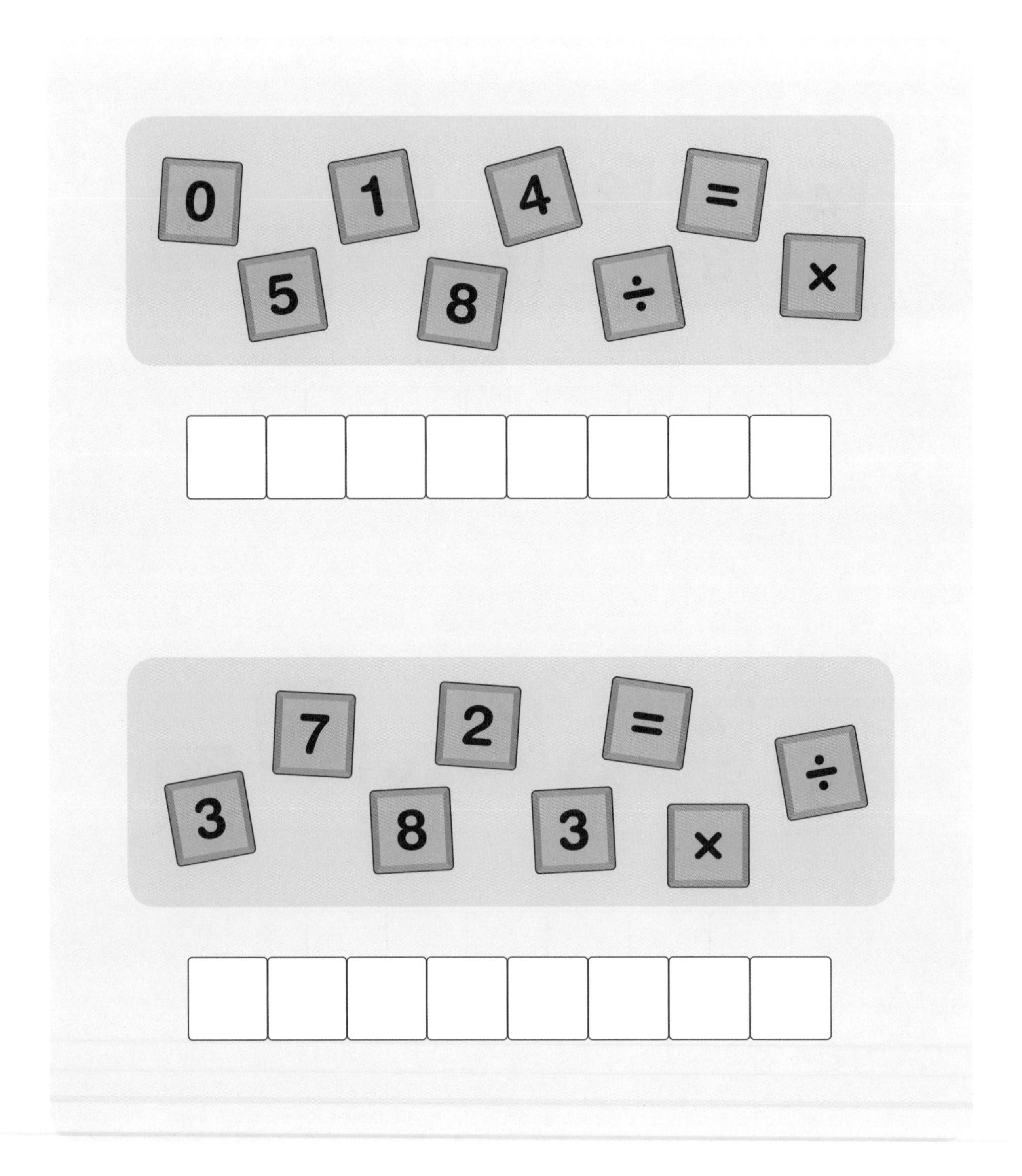

크로스 셈

빈칸에 **0**부터 **9**까지의 수 중 알맞은 수를 써넣으세요.

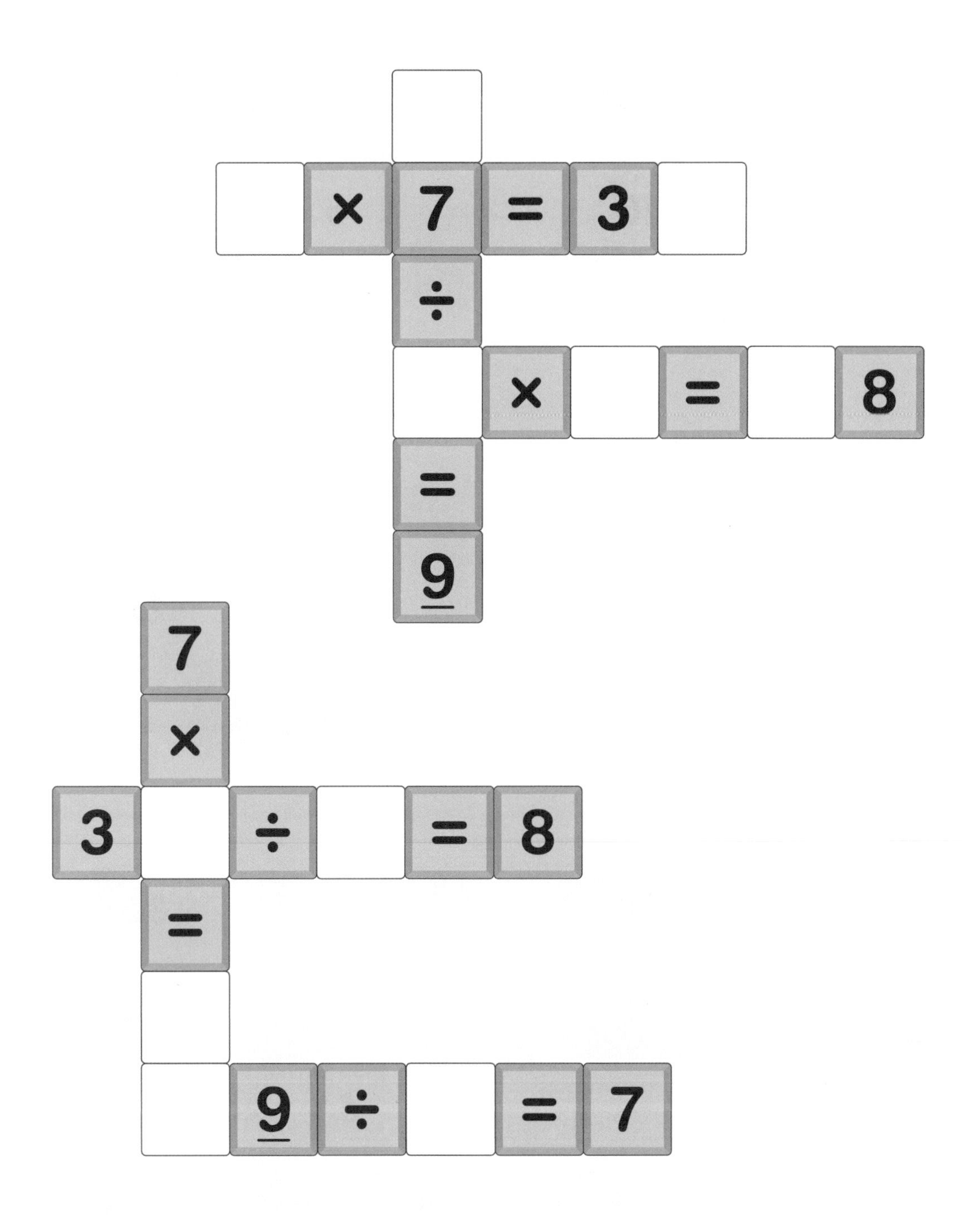

곱셈 매트릭스

✕ 가로줄과 세로줄의 두 수를 곱하면 그 줄의 색칠한 칸의 수가 됩니다. 빈칸에 **1**부터 **9**까지의 수 중 알맞은 수를 써넣으세요.

7	3	21
2	5	10
14	15	

	2	18
5		20
45	8	

		20
		35
28	25	

		24
		27
72	9	

		30
		16
40	12	

		36
		42
54	28	

04 크고 작은 셈

연관 활동: 교구 매뉴얼 activity 5

큰 합, 작은 차

수 1, 4, 5, 9로 합이 가장 큰 덧셈식을 만들면 954+1=955, 차가 가장 큰 뺄셈식을 만들면 954-1=953과 같이 세 자리 수와 한 자리 수의 계산식을 만들 수 있습니다.
하지만 여기서는 두 자리 수끼리의 식으로 한정하여 크고 작은 합차를 만드는 방법을 알아봅시다.
합을 가장 크게 하려면 큰 두 자리 수를 더해야 합니다. 즉, 십의 자리를 9, 5, 일의 자리를 4, 1로 합니다(94+51). 반대로 합을 가장 작게 하려면 십의 자리를 1, 4, 일의 자리를 5, 9로 합니다(15+49). 덧셈의 경우 십의 자리끼리, 일의 자리끼리는 서로 바꾸어도 됩니다.
차를 가장 크게 하려면 큰 수에서 작은 수를 뺍니다(95-14). 차를 가장 작게 하려면 먼저 십의 자리 수의 차를 가장 작게 만듭니다. 5-4=1로 차가 가장 작으므로 십의 자리를 5, 4로 합니다. 일의 자리는 받아내림을 생각하여 작은 수에서 큰 수 빼도록 넣습니다(51-49).

1 4 5 9 ➡ 가장 큰 합 : 94+51=145 가장 큰 차 : 95-14=81
가장 작은 합 : 15+49=64 가장 작은 차 : 51-49=2

조건에 맞는 식

✕ 주어진 수칩 중 **2**개를 골라 두 자리 수를 만들고, 만든 두 자리 수를 빈칸에 써넣어 조건에 맞는 덧셈식과 뺄셈식을 완성하고 계산해 보세요.

1, 4, 8

합이 가장 큰 식

5 2 + ☐ ☐ = ______

합이 가장 작은 식

5 2 + ☐ ☐ = ______

2, 5, 6

차가 가장 큰 식

7 3 − ☐ ☐ = ______

차가 가장 작은 식

7 3 − ☐ ☐ = ______

크고 작은 합

준비물 수칩, 기호칩, 세로셈 막대

✕ 주어진 수를 빈칸에 한 번씩 써넣어 합이 가장 크거나 가장 작은 식을 각각 만들고 계산해 보세요. 수칩과 기호칩으로 식을 만들어 보세요.

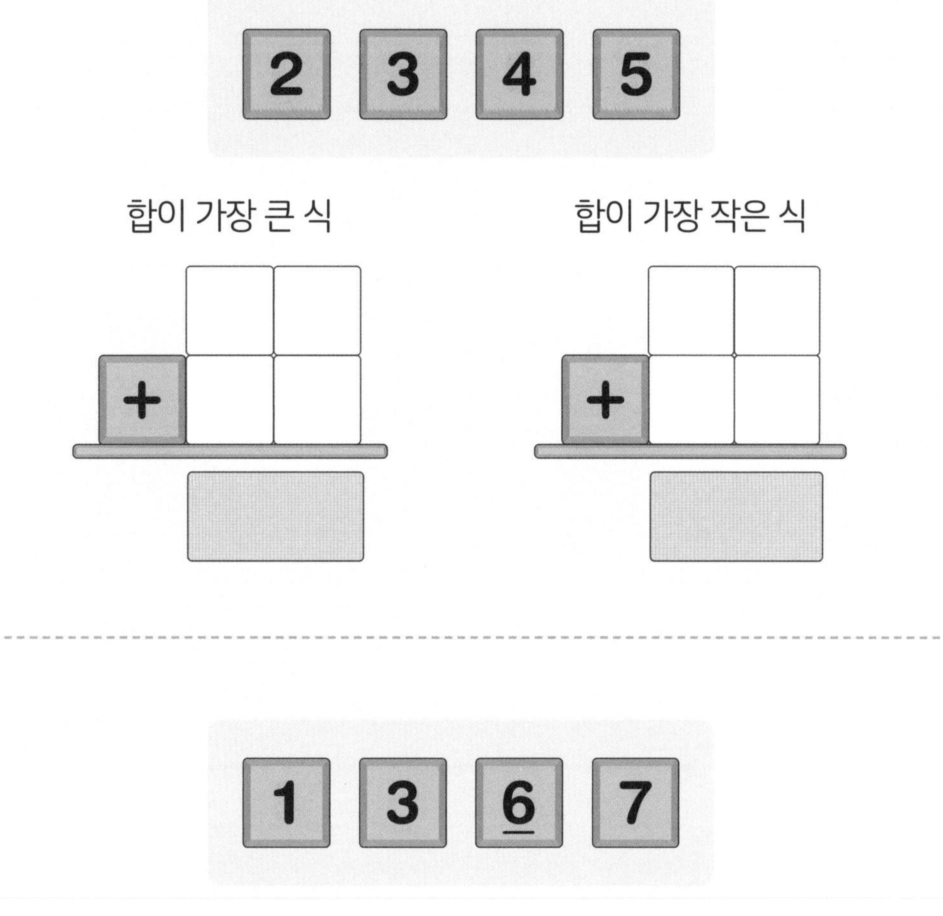

합이 가장 큰 식

합이 가장 작은 식

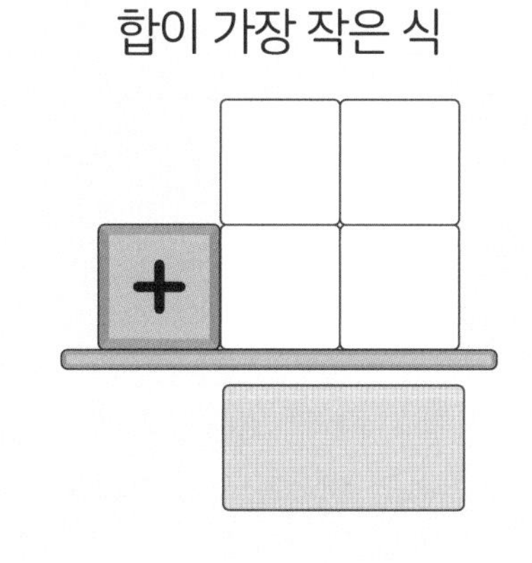

크고 작은 차

준비물 수칩, 기호칩, 세로셈 막대

주어진 수를 빈칸에 한 번씩 써넣어 차가 가장 크거나 가장 작은 식을 각각 만들고 계산해 보세요. 수칩과 기호칩으로 식을 만들어 보세요.

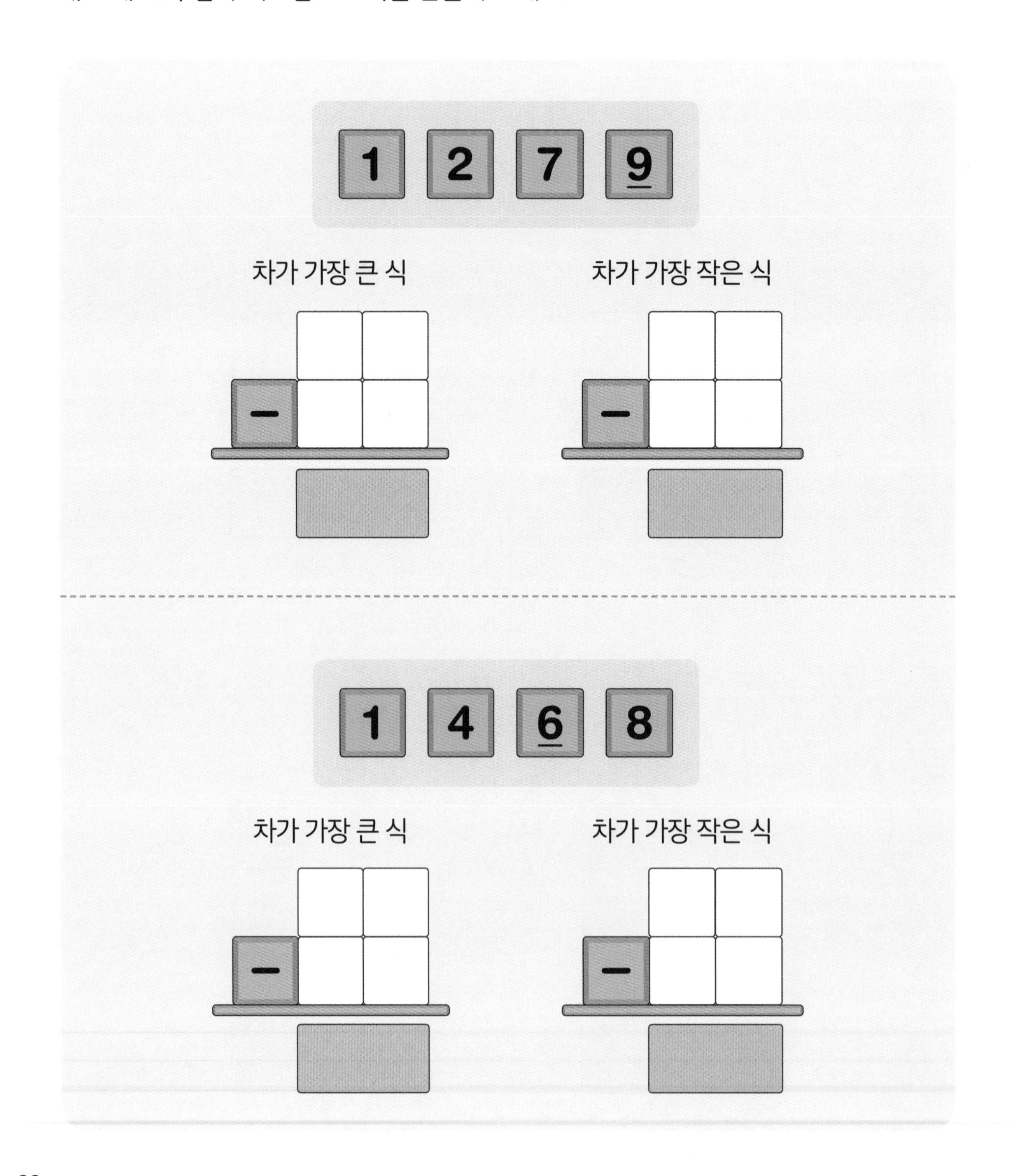

만들 수 있는 곱셈식

주어진 세 수로 만들 수 있는 (두 자리 수)×(한 자리 수) 식을 모두 만들고 계산해 보세요.
가장 큰 곱에 ○표, 가장 작은 곱에 △표 하세요.

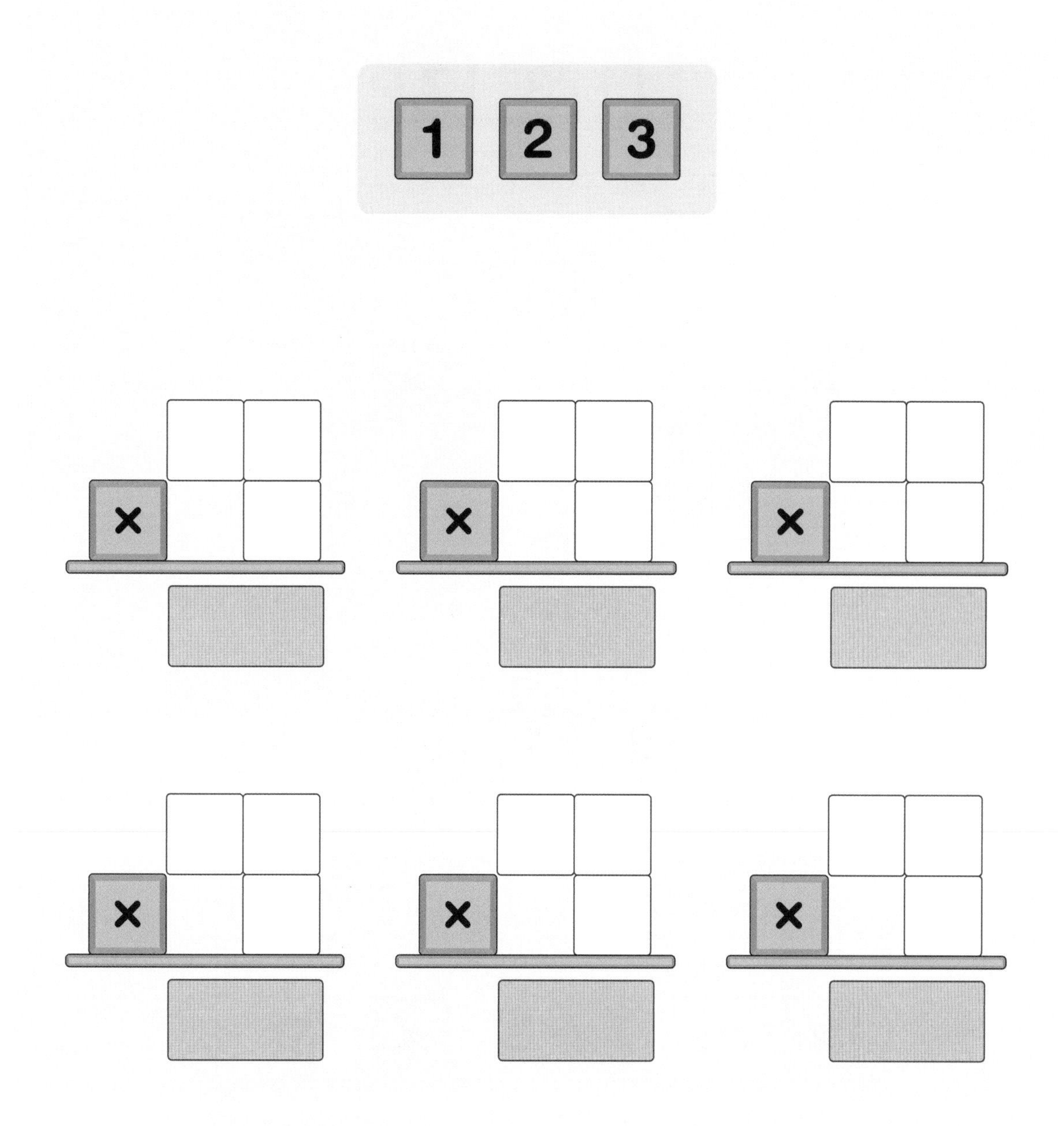

크고 작은 곱

준비물 수칩, 기호칩, 세로셈 막대

주어진 수를 빈칸에 한 번씩 써넣어 곱이 가장 크거나 가장 작은 식을 각각 만들고 계산해 보세요. 수칩과 기호칩으로 식을 만들어 보세요.

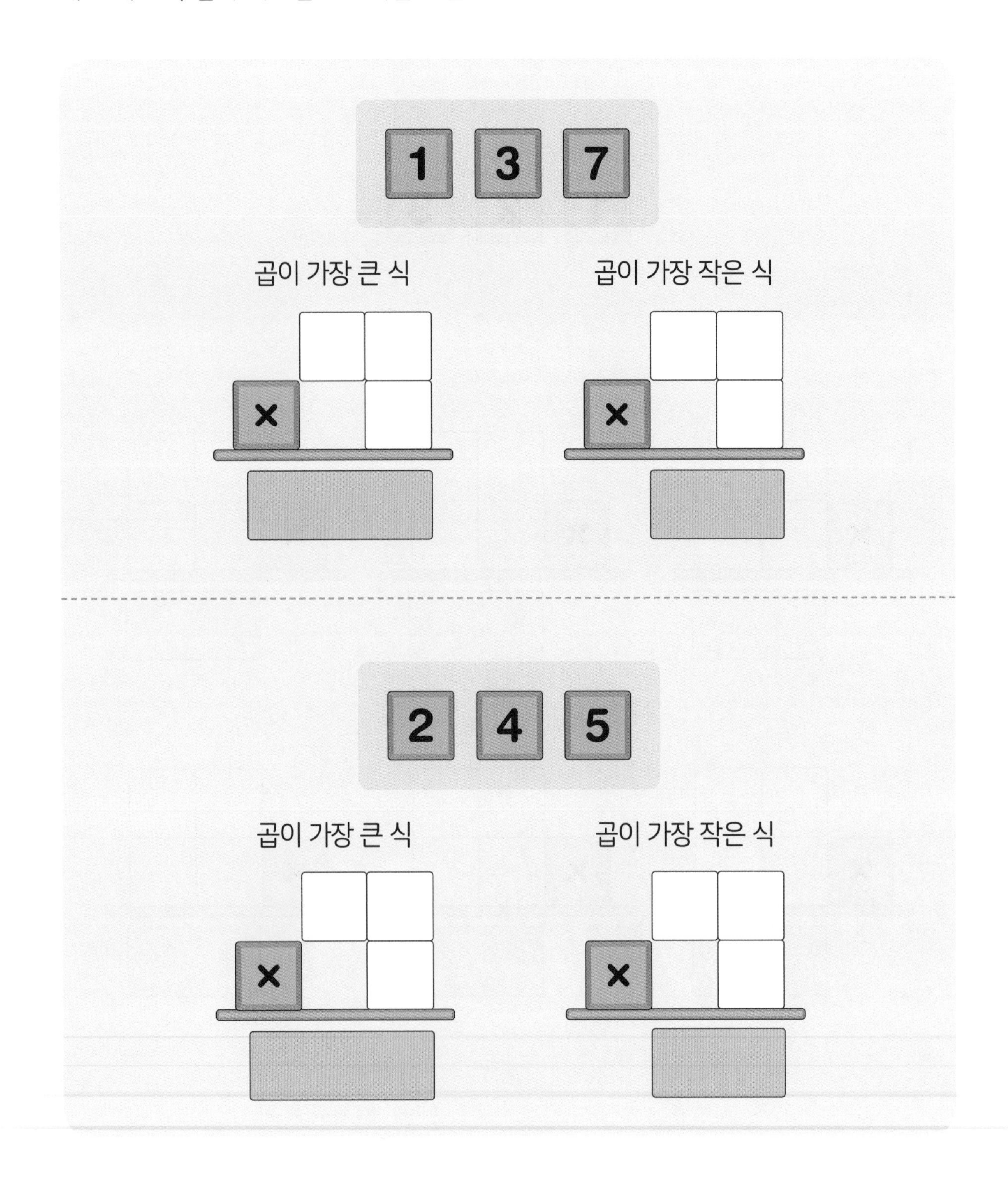

정 답

트랜스넘버 B

트랜스넘버 B

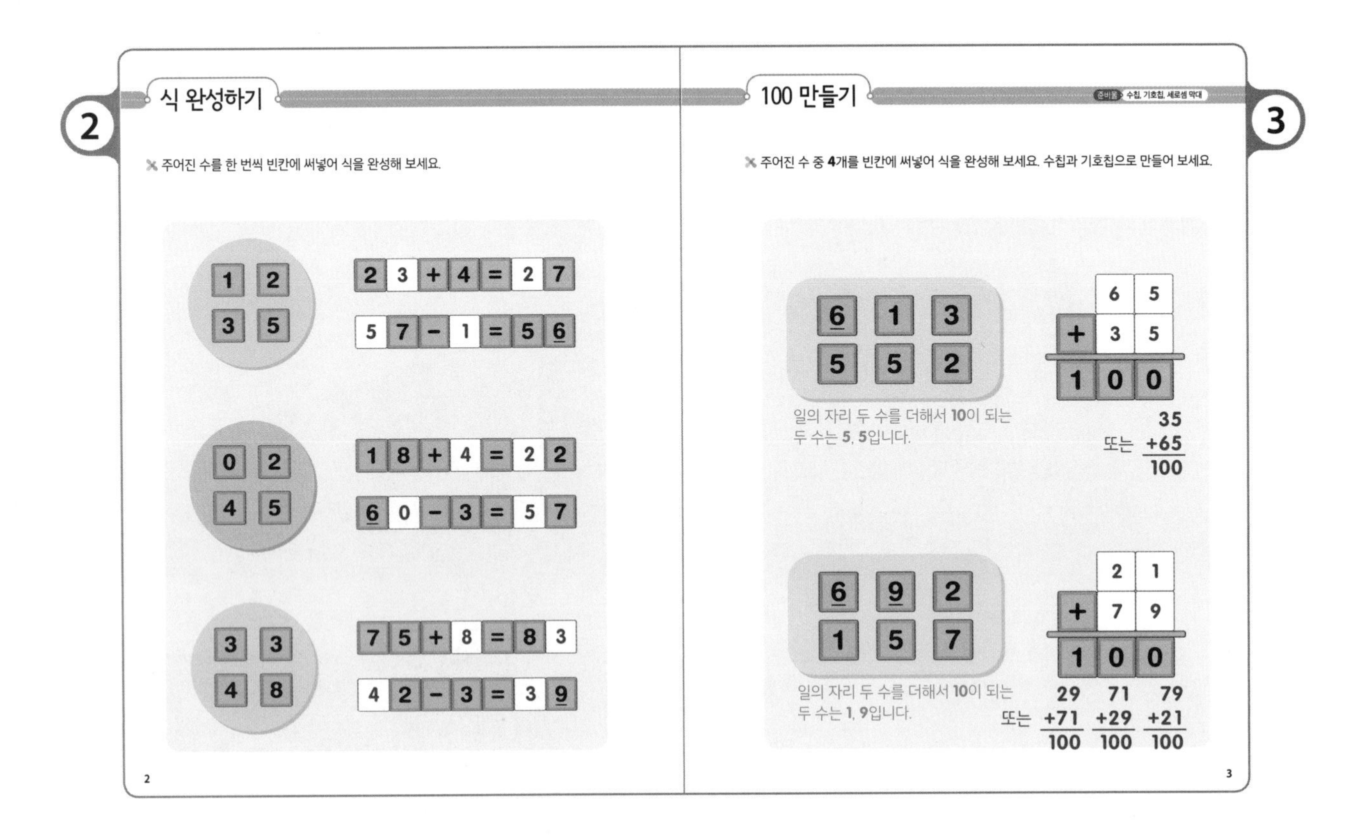

2
식 완성하기
주어진 수를 한 번씩 빈칸에 써넣어 식을 완성해 보세요.
23+4=27
57-1=56
18+4=22
60-3=57
75+8=83
42-3=39
2
3
100 만들기
주어진 수 중 4개를 빈칸에 써넣어 식을 완성해 보세요. 수칩과 기호칩으로 만들어 보세요.
일의 자리 두 수를 더해서 10이 되는 두 수는 5, 5입니다.
또는
일의 자리 두 수를 더해서 10이 되는 두 수는 1, 9입니다.
또는
3

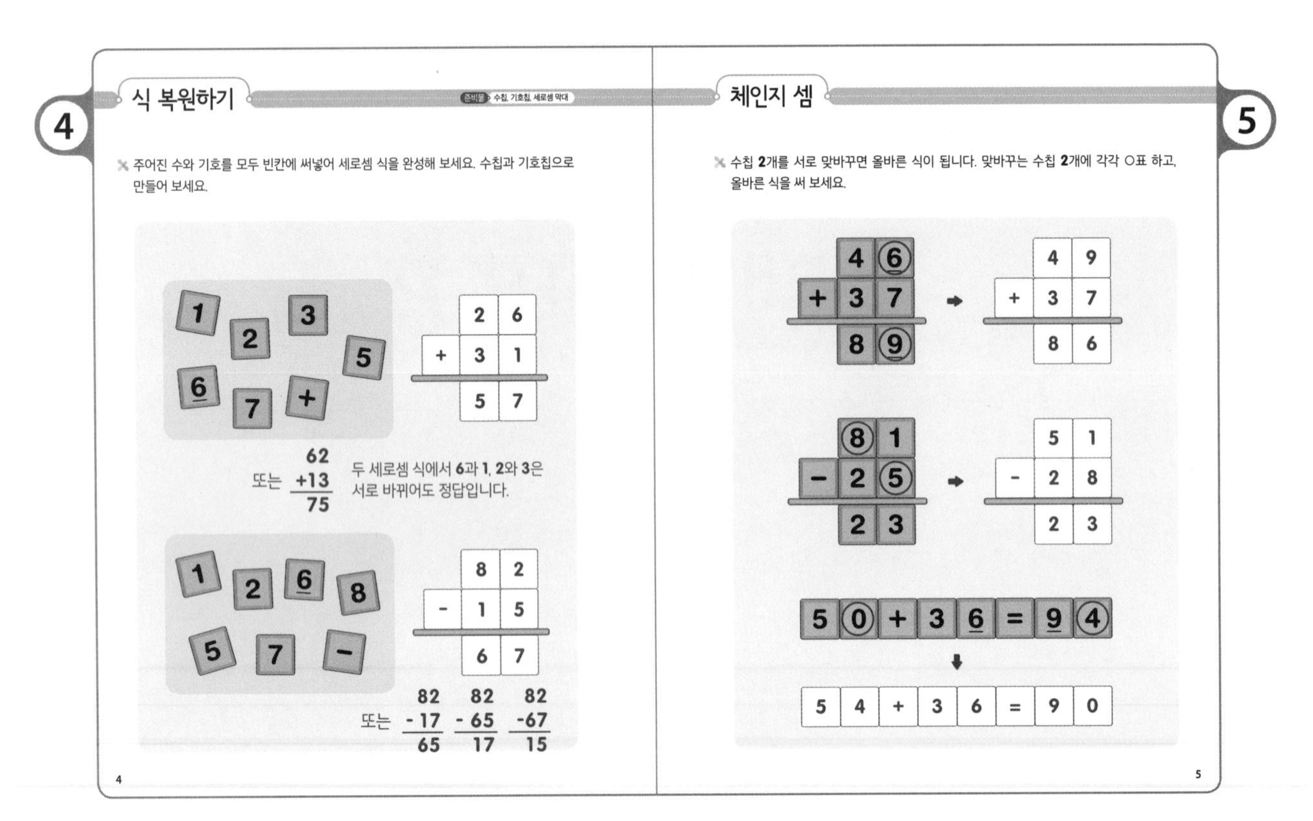

4
식 복원하기
주어진 수와 기호를 모두 빈칸에 써넣어 세로셈 식을 완성해 보세요. 수칩과 기호칩으로 만들어 보세요.
또는
두 세로셈 식에서 6과 1, 2와 3은 서로 바뀌어도 정답입니다.
또는
4
5
체인지 셈
수칩 2개를 서로 맞바꾸면 올바른 식이 됩니다. 맞바꾸는 수칩 2개에 각각 ○표 하고, 올바른 식을 써 보세요.
54+36=90
5

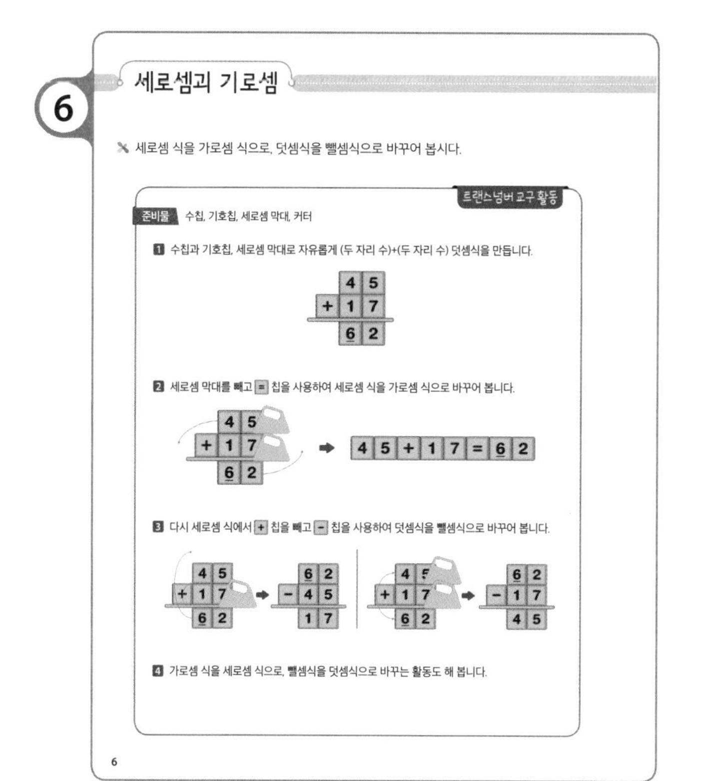
6
세로셈과 가로셈
세로셈 식을 가로셈 식으로, 덧셈식을 뺄셈식으로 바꾸어 봅시다.
트랜스넘버 교구 활동
준비물 수칩, 기호칩, 세로셈 막대, 커터
1 수칩과 기호칩, 세로셈 막대로 자유롭게 (두 자리 수)+(두 자리 수) 덧셈식을 만듭니다.
2 세로셈 막대를 빼고 = 칩을 사용하여 세로셈 식을 가로셈 식으로 바꾸어 봅니다.
3 다시 세로셈 식에서 + 칩을 빼고 - 칩을 사용하여 덧셈식을 뺄셈식으로 바꾸어 봅니다.
4 가로셈 식을 세로셈 식으로, 뺄셈식을 덧셈식으로 바꾸는 활동도 해 봅니다.
6

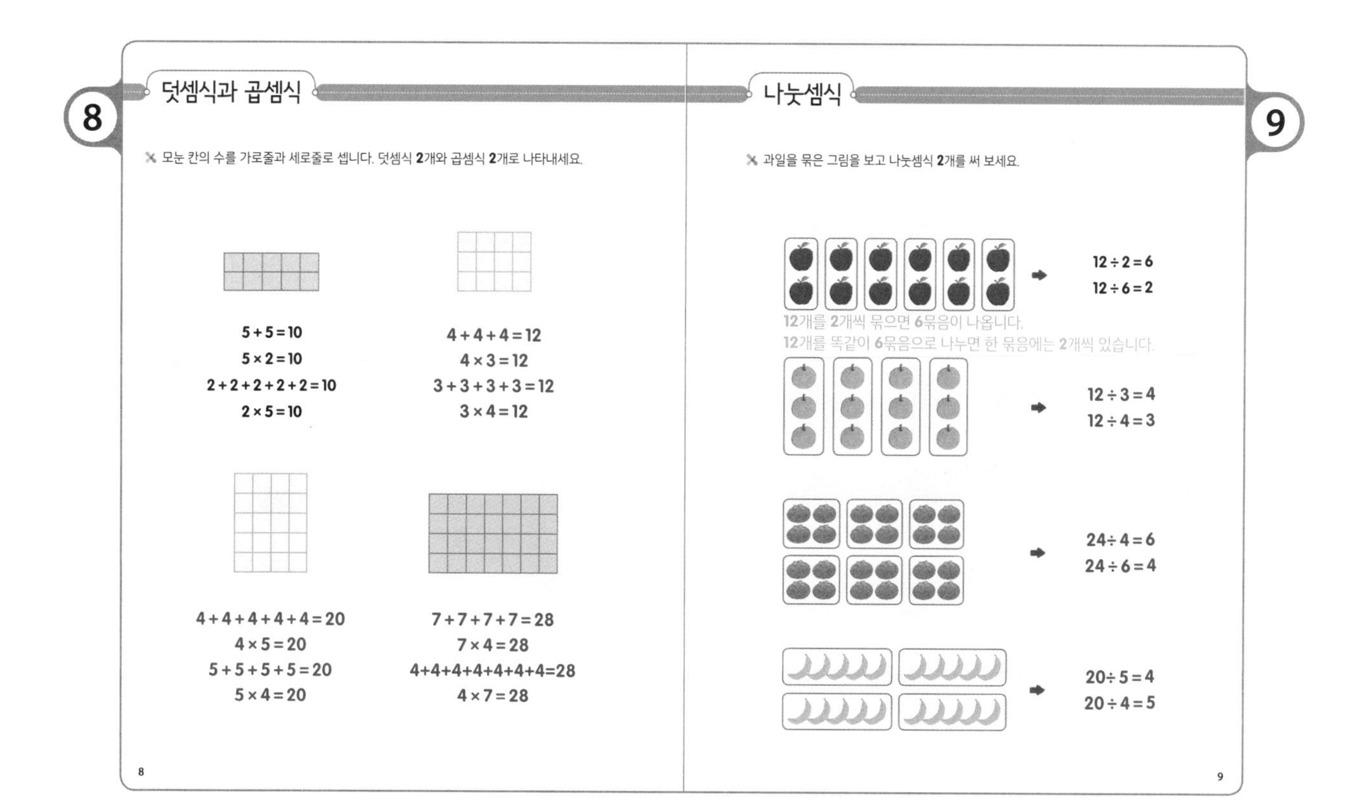
8
덧셈식과 곱셈식
모눈 칸의 수를 가로줄과 세로줄로 셉니다. 덧셈식 2개와 곱셈식 2개로 나타내세요.
5+5=10
5×2=10
2+2+2+2+2=10
2×5=10
4+4+4=12
4×3=12
3+3+3+3=12
3×4=12
4+4+4+4+4=20
4×5=20
5+5+5+5=20
5×4=20
7+7+7+7=28
7×4=28
4+4+4+4+4+4+4=28
4×7=28
8
나눗셈식
9
과일을 묶은 그림을 보고 나눗셈식 2개를 써 보세요.
12÷2=6
12÷6=2
12개를 2개씩 묶으면 6묶음이 나옵니다.
12개를 똑같이 6묶음으로 나누면 한 묶음에는 2개씩 있습니다.
12÷3=4
12÷4=3
24÷4=6
24÷6=4
20÷5=4
20÷4=5
9

트랜스넘버 B

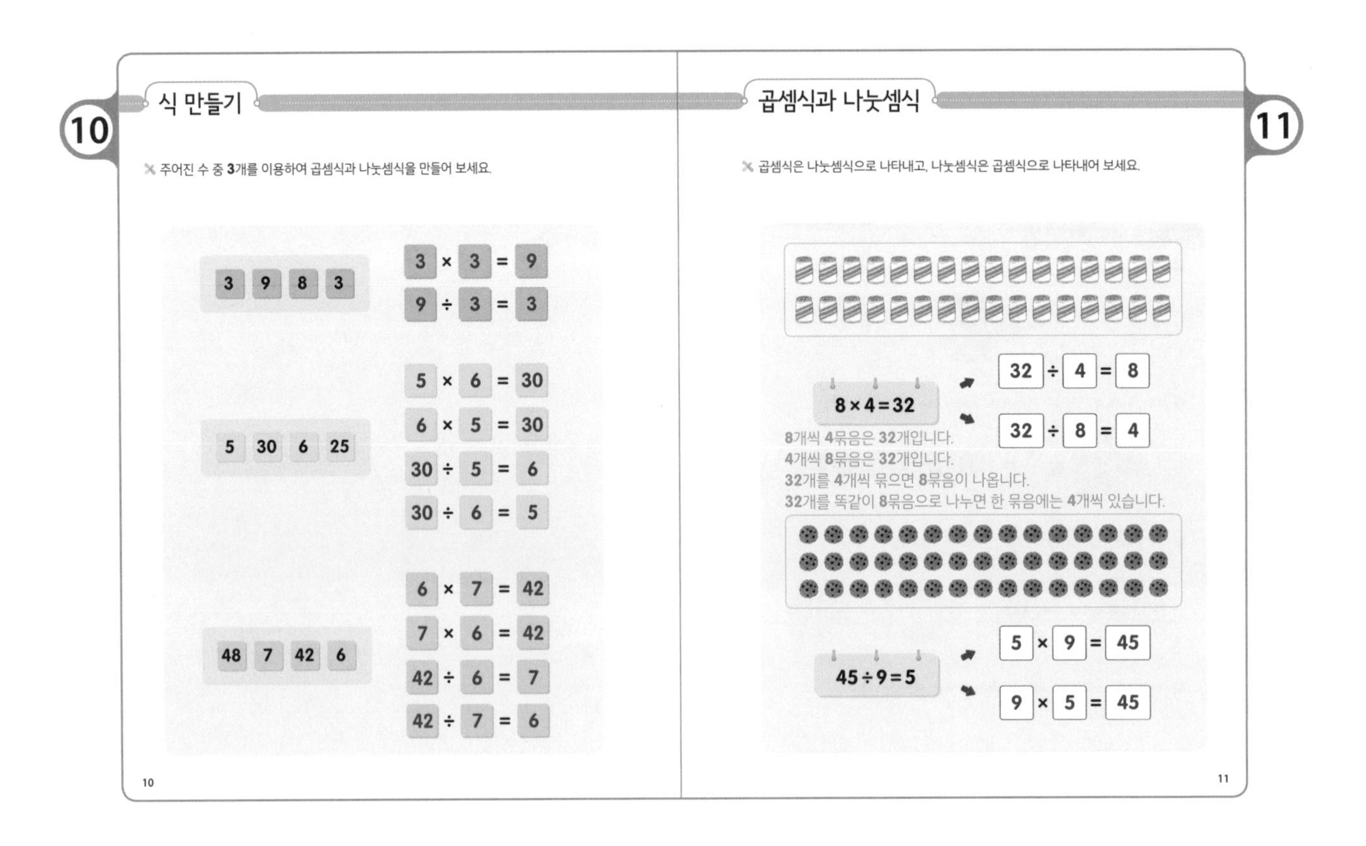

10 식 만들기

주어진 수 중 3개를 이용하여 곱셈식과 나눗셈식을 만들어 보세요.

3 9 8 3

3 × 3 = 9
9 ÷ 3 = 3

5 30 6 25

5 × 6 = 30
6 × 5 = 30
30 ÷ 5 = 6
30 ÷ 6 = 5

48 7 42 6

6 × 7 = 42
7 × 6 = 42
42 ÷ 6 = 7
42 ÷ 7 = 6

10

11 곱셈식과 나눗셈식

곱셈식은 나눗셈식으로 나타내고, 나눗셈식은 곱셈식으로 나타내어 보세요.

8 × 4 = 32

32 ÷ 4 = 8
32 ÷ 8 = 4

8개씩 4묶음은 32개입니다.
4개씩 8묶음은 32개입니다.
32개를 4개씩 묶으면 8묶음이 나옵니다.
32개를 똑같이 8묶음으로 나누면 한 묶음에는 4개씩 있습니다.

45 ÷ 9 = 5

5 × 9 = 45
9 × 5 = 45

11

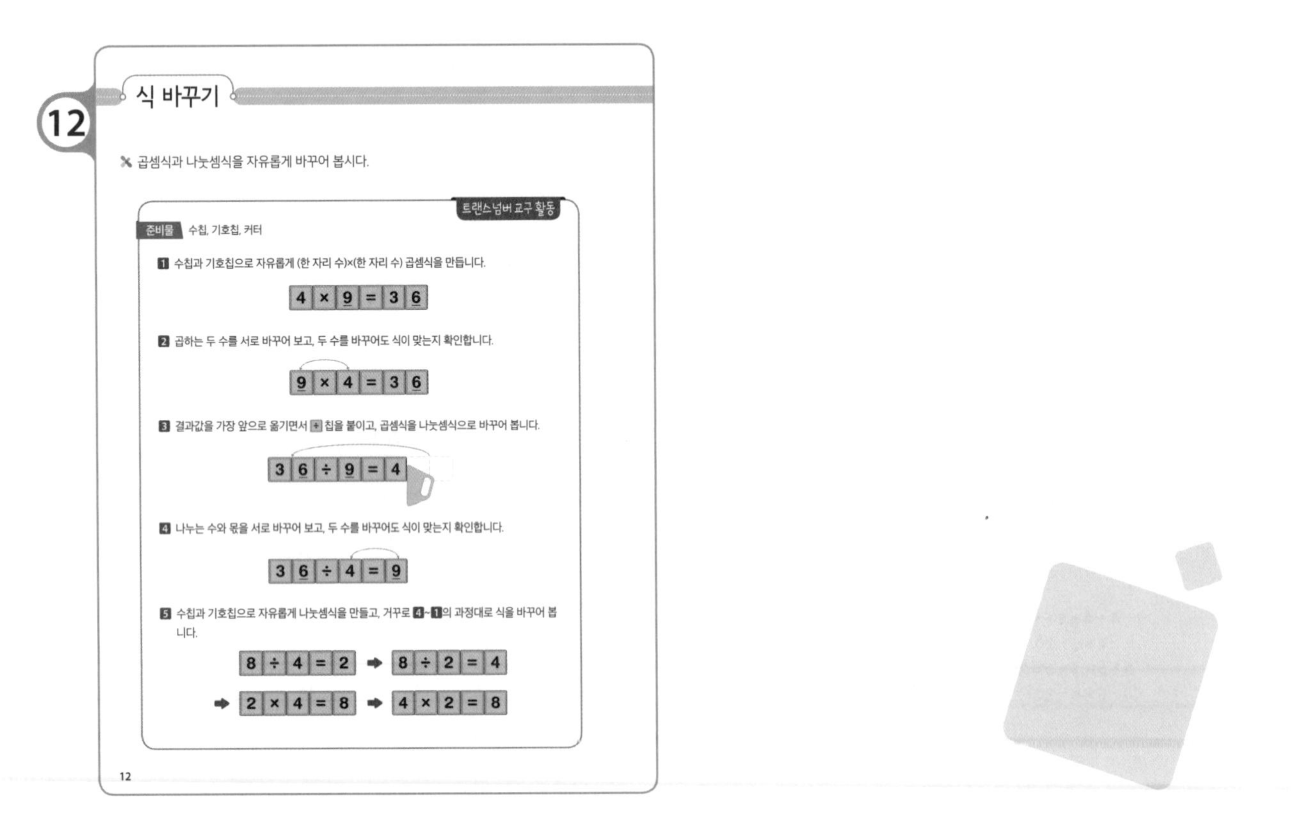

12 식 바꾸기

곱셈식과 나눗셈식을 자유롭게 바꾸어 봅시다.

트랜스넘버 교구 활동

준비물 수칩, 기호칩, 커터

1 수칩과 기호칩으로 자유롭게 (한 자리 수)×(한 자리 수) 곱셈식을 만듭니다.

4 × 9 = 3 6

2 곱하는 두 수를 서로 바꾸어 보고, 두 수를 바꾸어도 식이 맞는지 확인합니다.

9 × 4 = 3 6

3 결과값을 가장 앞으로 옮기면서 ÷ 칩을 붙이고, 곱셈식을 나눗셈식으로 바꾸어 봅니다.

3 6 ÷ 9 = 4

4 나누는 수와 몫을 서로 바꾸어 보고, 두 수를 바꾸어도 식이 맞는지 확인합니다.

3 6 ÷ 4 = 9

5 수칩과 기호칩으로 자유롭게 나눗셈식을 만들고, 거꾸로 4~1의 과정대로 식을 바꾸어 봅니다.

8 ÷ 4 = 2 → 8 ÷ 2 = 4
→ 2 × 4 = 8 → 4 × 2 = 8

12

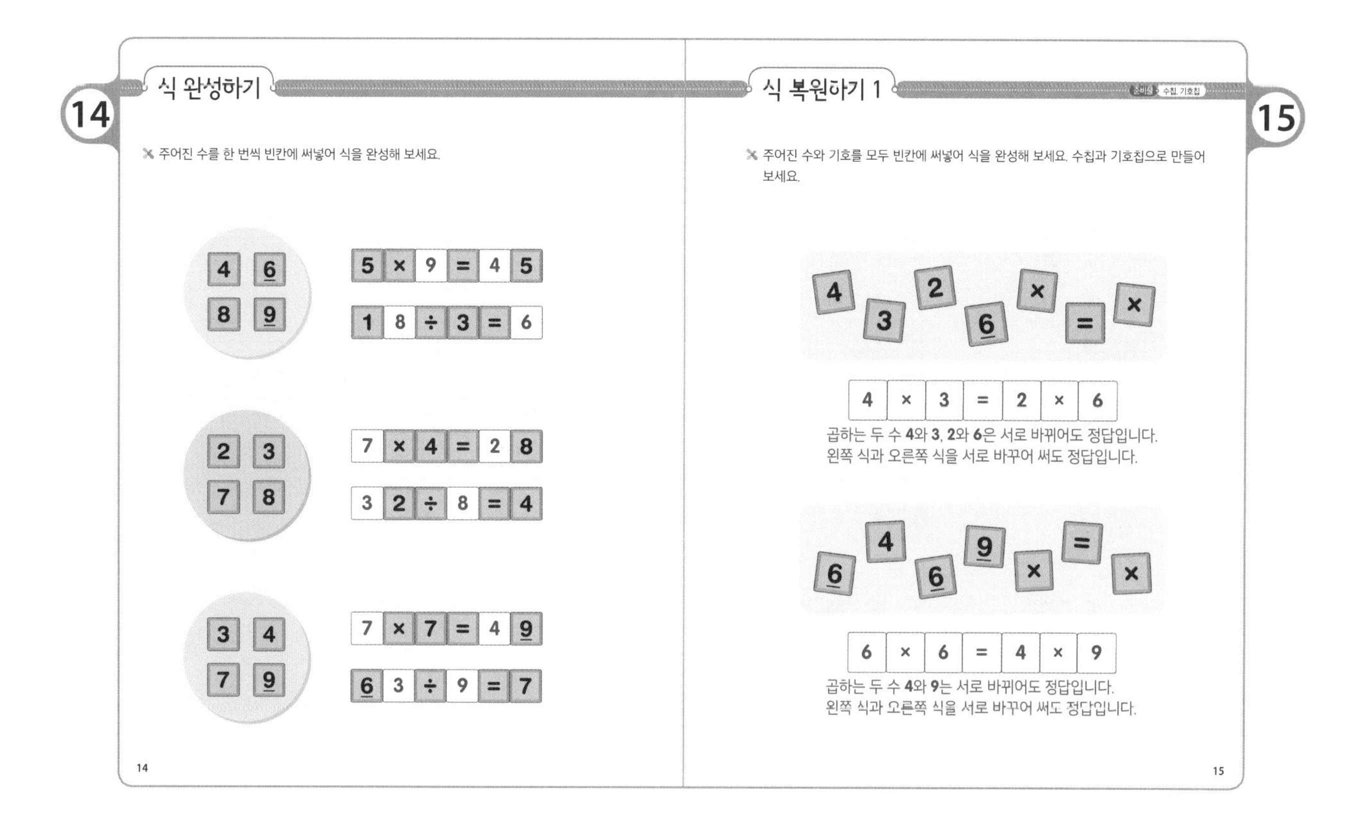

14 식 완성하기

주어진 수를 한 번씩 빈칸에 써넣어 식을 완성해 보세요.

4 6 8 9

5	×	9	=	4	5

1	8	÷	3	=	6

2 3 7 8

7	×	4	=	2	8

3	2	÷	8	=	4

3 4 7 9

7	×	7	=	4	9

6	3	÷	9	=	7

14

15 식 복원하기 1

준비물 수칩, 기호칩

주어진 수와 기호를 모두 빈칸에 써넣어 식을 완성해 보세요. 수칩과 기호칩으로 만들어 보세요.

4 3 2 6 × = ×

4	×	3	=	2	×	6

곱하는 두 수 **4**와 **3**, **2**와 **6**은 서로 바뀌어도 정답입니다.
왼쪽 식과 오른쪽 식을 서로 바꾸어 써도 정답입니다.

6 4 6 9 × = ×

6	×	6	=	4	×	9

곱하는 두 수 **4**와 **9**는 서로 바뀌어도 정답입니다.
왼쪽 식과 오른쪽 식을 서로 바꾸어 써도 정답입니다.

15

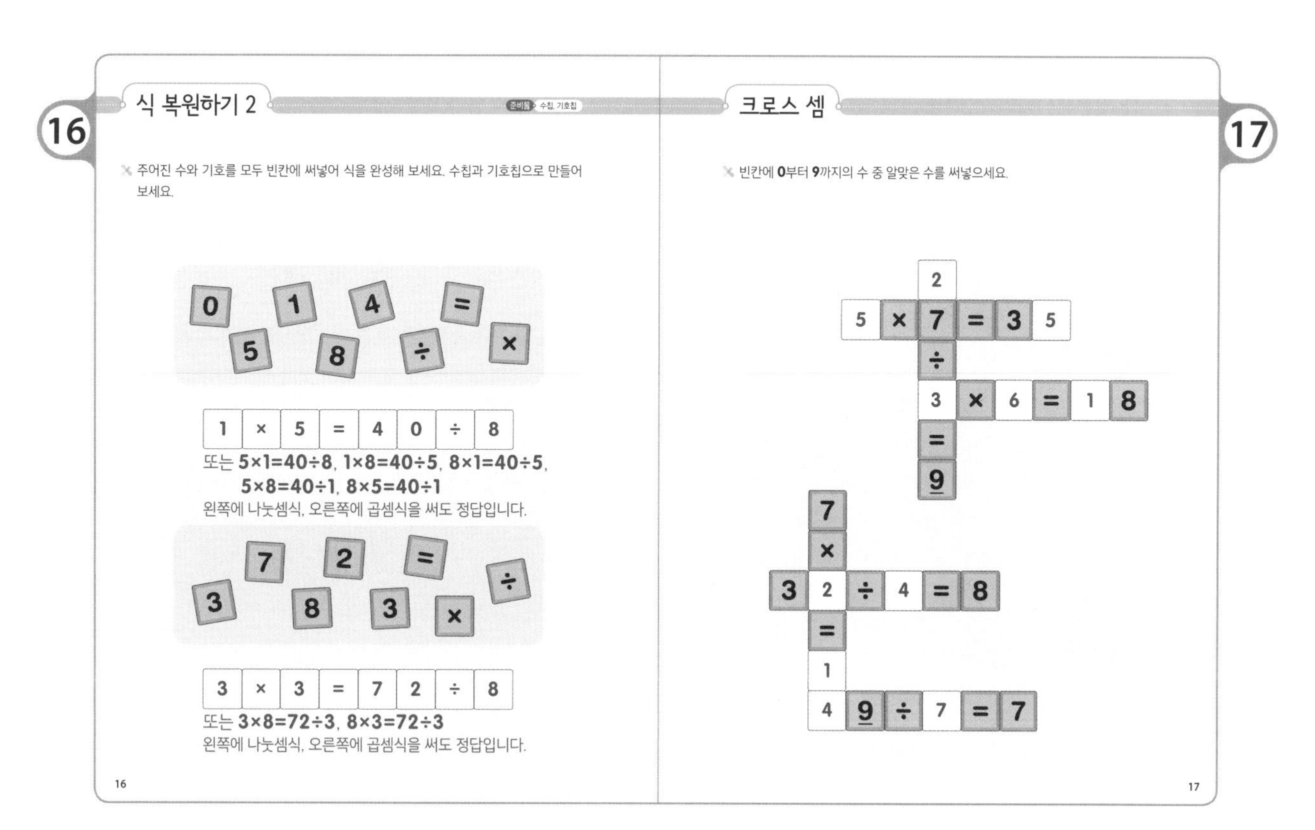

16 식 복원하기 2

준비물 수칩, 기호칩

주어진 수와 기호를 모두 빈칸에 써넣어 식을 완성해 보세요. 수칩과 기호칩으로 만들어 보세요.

0 1 4 = 5 8 ÷ ×

1	×	5	=	4	0	÷	8

또는 **5×1=40÷8, 1×8=40÷5, 8×1=40÷5, 5×8=40÷1, 8×5=40÷1**
왼쪽에 나눗셈식, 오른쪽에 곱셈식을 써도 정답입니다.

7 2 = ÷ 3 8 3 ×

3	×	3	=	7	2	÷	8

또는 **3×8=72÷3, 8×3=72÷3**
왼쪽에 나눗셈식, 오른쪽에 곱셈식을 써도 정답입니다.

16

17 크로스 셈

빈칸에 **0**부터 **9**까지의 수 중 알맞은 수를 써넣으세요.

5 × 7 = 3 5
2 7 ÷ 3 = 9
3 × 6 = 1 8
3 2 ÷ 4 = 8
7 × 2 = 1 4
4 9 ÷ 7 = 7

17

18 곱셈 매트릭스

가로줄과 세로줄의 두 수를 곱하면 그 줄의 색칠한 칸의 수가 됩니다. 빈칸에 **1**부터 **9**까지의 수 중 알맞은 수를 써넣으세요.

7	3	21
2	5	10
14	15	

9	2	18
5	4	20
45	8	

4	5	20
7	5	35
28	25	

8	3	24
9	3	27
72	9	

5	6	30
8	2	16
40	12	

9	4	36
6	7	42
54	28	

18

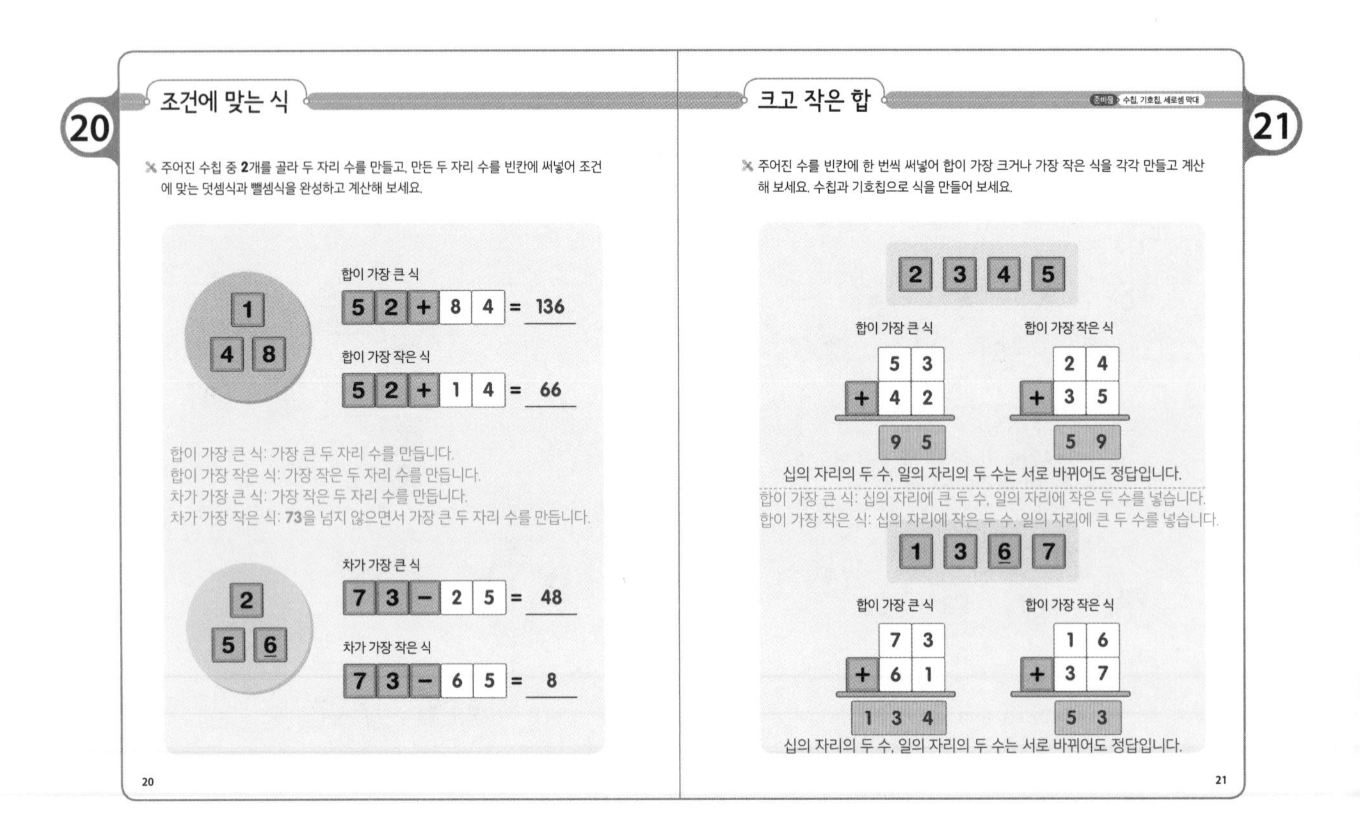

20 조건에 맞는 식

주어진 수칩 중 **2**개를 골라 두 자리 수를 만들고, 만든 두 자리 수를 빈칸에 써넣어 조건에 맞는 덧셈식과 뺄셈식을 완성하고 계산해 보세요.

수칩: 1, 4, 8

합이 가장 큰 식

5 2 + 8 4 = 136

합이 가장 작은 식

5 2 + 1 4 = 66

합이 가장 큰 식: 가장 큰 두 자리 수를 만듭니다.
합이 가장 작은 식: 가장 작은 두 자리 수를 만듭니다.
차가 가장 큰 식: 가장 작은 두 자리 수를 만듭니다.
차가 가장 작은 식: **73**을 넘지 않으면서 가장 큰 두 자리 수를 만듭니다.

수칩: 2, 5, 6

차가 가장 큰 식

7 3 − 2 5 = 48

차가 가장 작은 식

7 3 − 6 5 = 8

20

21 크고 작은 합

준비물: 수칩, 기호칩, 세로셈 막대

주어진 수를 빈칸에 한 번씩 써넣어 합이 가장 크거나 가장 작은 식을 각각 만들고 계산해 보세요. 수칩과 기호칩으로 식을 만들어 보세요.

2 3 4 5

합이 가장 큰 식: 53 + 42 = 95

합이 가장 작은 식: 24 + 35 = 59

십의 자리의 두 수, 일의 자리의 두 수는 서로 바뀌어도 정답입니다.

합이 가장 큰 식: 십의 자리에 큰 두 수, 일의 자리에 작은 두 수를 넣습니다.
합이 가장 작은 식: 십의 자리에 작은 두 수, 일의 자리에 큰 두 수를 넣습니다.

1 3 6 7

합이 가장 큰 식: 73 + 61 = 134

합이 가장 작은 식: 16 + 37 = 53

십의 자리의 두 수, 일의 자리의 두 수는 서로 바뀌어도 정답입니다.

21

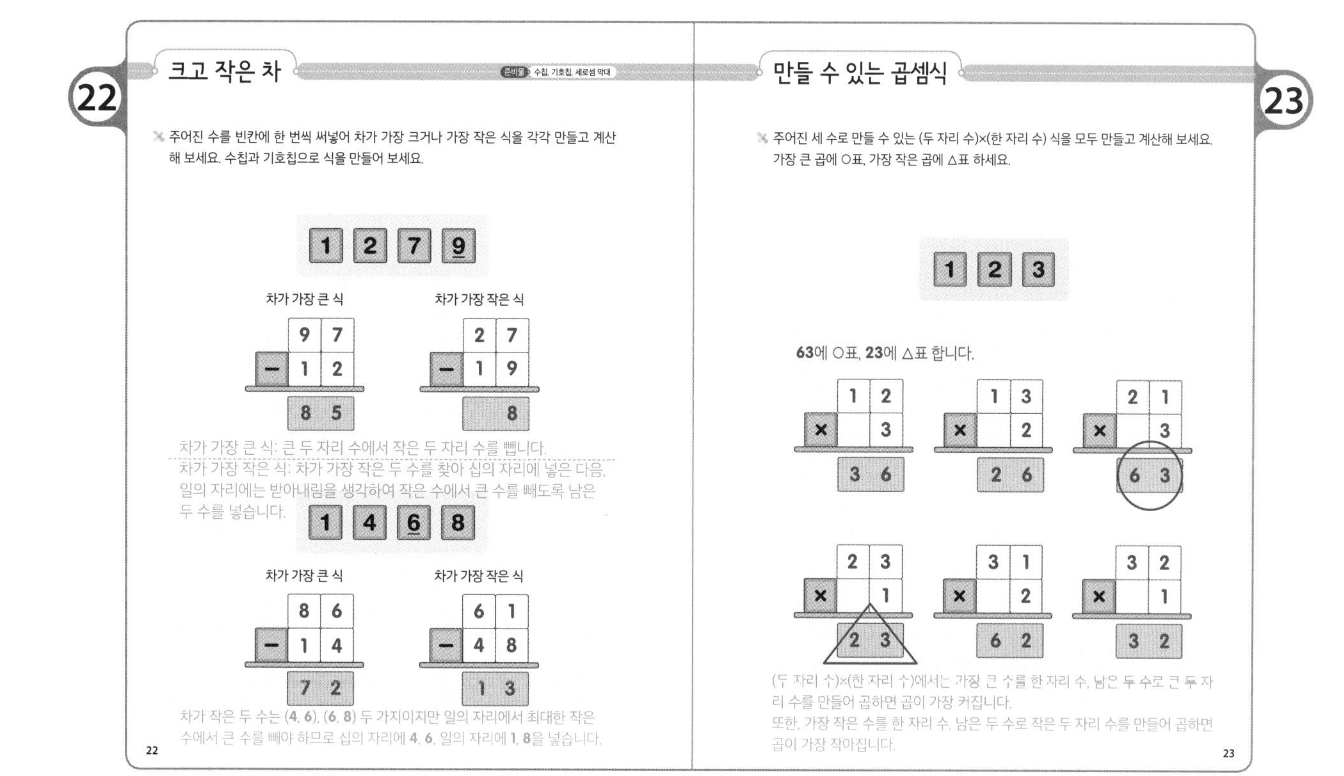

22 크고 작은 차

준비물: 수칩, 기호칩, 세로셈 막대

✕ 주어진 수를 빈칸에 한 번씩 써넣어 차가 가장 크거나 가장 작은 식을 각각 만들고 계산해 보세요. 수칩과 기호칩으로 식을 만들어 보세요.

1 2 7 9

차가 가장 큰 식: 97 − 12 = 85

차가 가장 작은 식: 27 − 19 = 8

차가 가장 큰 식: 큰 두 자리 수에서 작은 두 자리 수를 뺍니다.
차가 가장 작은 식: 차가 가장 작은 두 수를 찾아 십의 자리에 넣은 다음, 일의 자리에는 받아내림을 생각하여 작은 수에서 큰 수를 빼도록 남은 두 수를 넣습니다.

1 4 6 8

차가 가장 큰 식: 86 − 14 = 72

차가 가장 작은 식: 61 − 48 = 13

차가 작은 두 수는 (4, 6), (6, 8) 두 가지이지만 일의 자리에서 최대한 작은 수에서 큰 수를 빼야 하므로 십의 자리에 4, 6, 일의 자리에 1, 8을 넣습니다.

22

23 만들 수 있는 곱셈식

✕ 주어진 세 수로 만들 수 있는 (두 자리 수)×(한 자리 수) 식을 모두 만들고 계산해 보세요. 가장 큰 곱에 ○표, 가장 작은 곱에 △표 하세요.

1 2 3

63에 ○표, **23**에 △표 합니다.

12 × 3 = 36

13 × 2 = 26

21 × 3 = 63 (○)

23 × 1 = 23 (△)

31 × 2 = 62

32 × 1 = 32

(두 자리 수)×(한 자리 수)에서는 가장 큰 수를 한 자리 수, 남은 두 수로 큰 두 자리 수를 만들어 곱하면 곱이 가장 커집니다.
또한, 가장 작은 수를 한 자리 수, 남은 두 수로 작은 두 자리 수를 만들어 곱하면 곱이 가장 작아집니다.

23

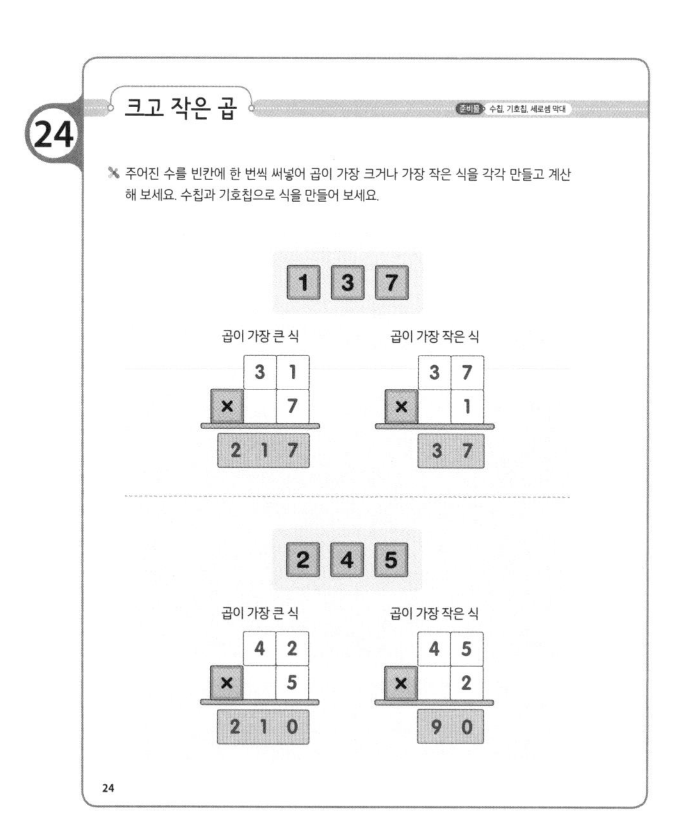

24 크고 작은 곱

준비물: 수칩, 기호칩, 세로셈 막대

✕ 주어진 수를 빈칸에 한 번씩 써넣어 곱이 가장 크거나 가장 작은 식을 각각 만들고 계산해 보세요. 수칩과 기호칩으로 식을 만들어 보세요.

1 3 7

곱이 가장 큰 식: 31 × 7 = 217

곱이 가장 작은 식: 37 × 1 = 37

2 4 5

곱이 가장 큰 식: 42 × 5 = 210

곱이 가장 작은 식: 45 × 2 = 90

24

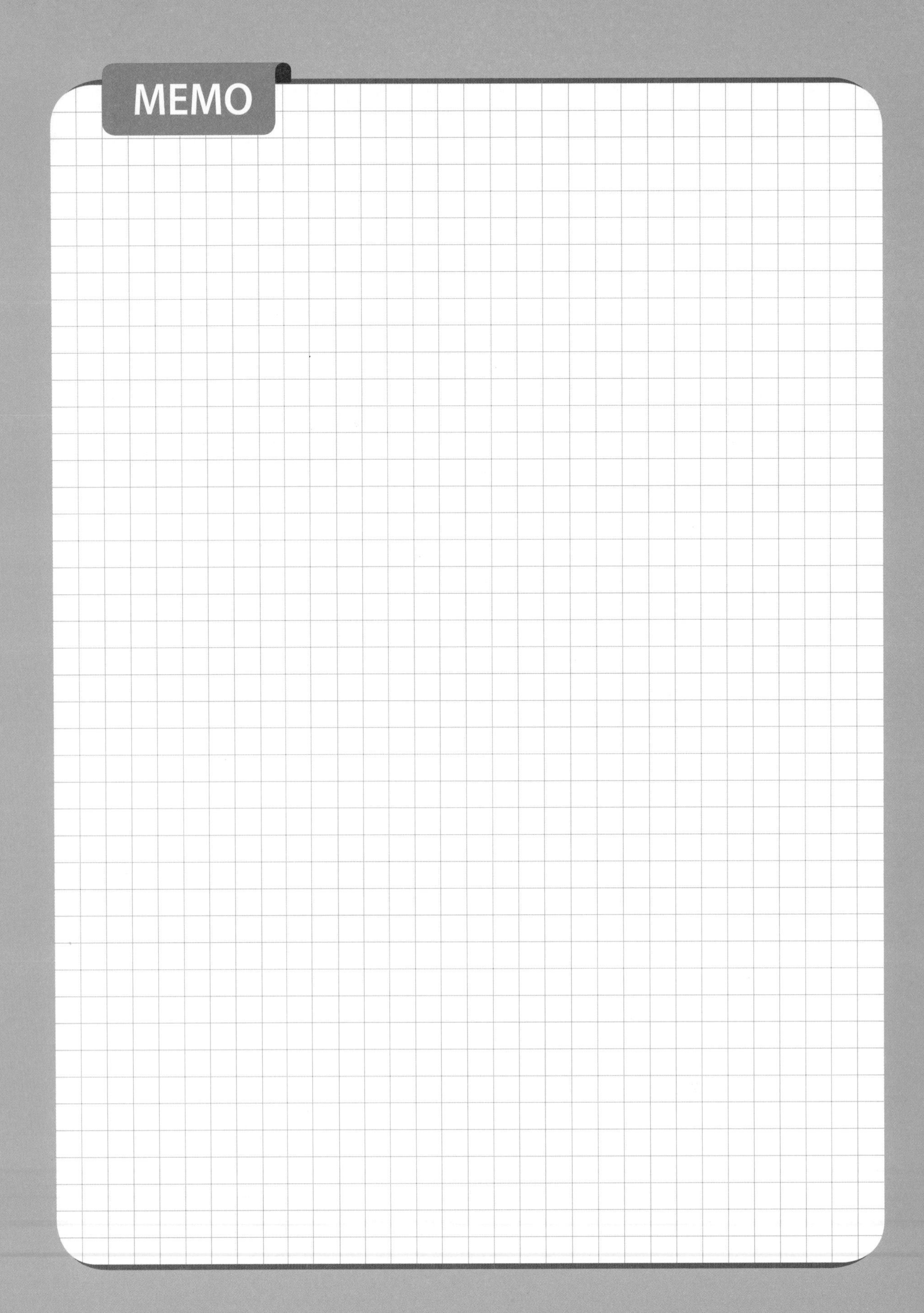
MEMO

초등 수학 교구 상자

평면 공간감각을 길러주는 회전 펜토미노 퍼즐

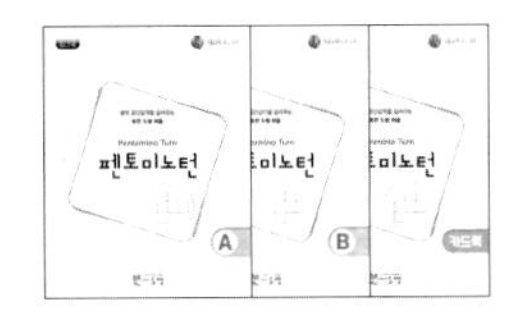

펜토미노턴

초등학생들이 어려워하는 '평면도형의 이동'을 펜토미노와 패턴블록으로 도형을 직접 돌려보며 재미있게 해결하는 공간감각 퍼즐입니다.

입체 공간감각을 길러주는 멀티큐브 퍼즐

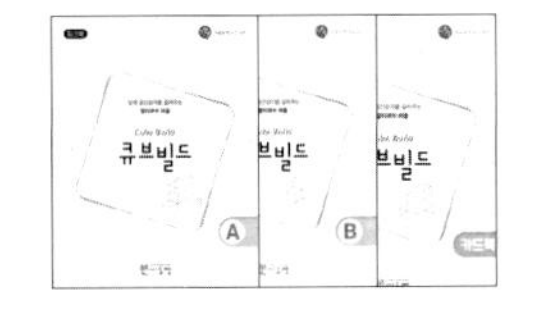

큐브빌드

머릿속으로 그리기 어려운 입체도형을 쌓기나무와 멀티큐브를 이용하여 직접 만들어 위, 앞, 옆 모양을 관찰하고, 다양한 입체 모양을 만드는 공간감각 퍼즐입니다.

도형감각을 길러주는 입체 칠교 퍼즐

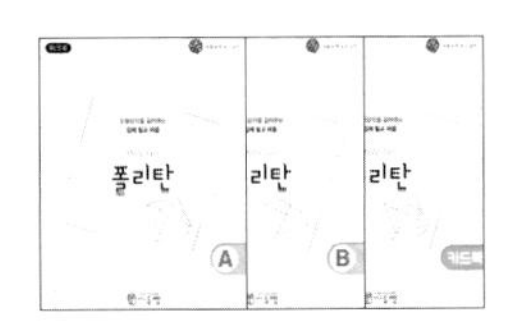

폴리탄

정사각형을 7조각으로 자른 '입체 칠교'와 직각이등변삼각형을 붙인 '입체 볼로'를 활용하여 평면뿐만 아니라 다양한 입체도형 문제를 해결하는 퍼즐입니다.

수 감각을 길러주는 창의 연산 보드 게임

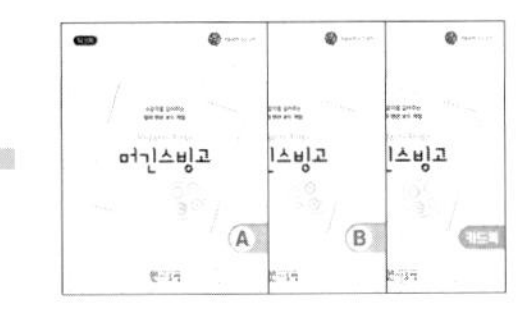

머긴스빙고

빙고 게임과 머긴스 게임을 활용하여 수 감각과 연산 능력을 끌어올리고 전략적 사고를 키우는 사고력 보드 게임입니다.

공간감각을 길러주는 입체 폴리오미노 보드 게임

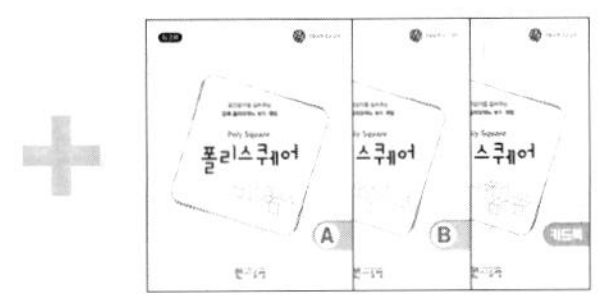

폴리스퀘어

모노미노부터 펜토미노까지의 폴리오미노를 이용하여 다양한 모양을 만들어 보고, 공간을 차지하는 게임으로 공간감각을 키우는 공간 점령 보드 게임입니다.

자유자재로 식을 만드는 멀티 숫자 퍼즐

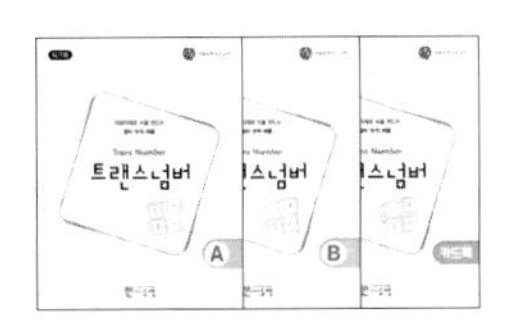

트랜스넘버

자유자재로 식을 만들고 이를 변형, 응용하는 활동을 통해 연산 원리와 연산감각을 길러주는 멀티 숫자 퍼즐입니다.

I hear and I forget 듣기만 한 것은 잊어버리고

I see and I remember 본 것은 기억되지만

I do and I understand 직접 해 본 것은 이해가 된다

Trans Number

트랜스넘버

펴낸곳: ㈜씨투엠에듀 **발행인:** 한헌조

모델명: 필즈엠_트랜스넘버
제조년월: 2020년 5월
주소 및 전화번호: 경기도 수원시 장안구 파장로 7(태영빌딩 3층) / 031-548-1191
제조국명: 한국

카드북

씨투엠 초등 수학 교구 상자

자유자재로 식을 만드는

멀티 숫자 퍼즐

Trans Number

트랜스넘버

카드북

Creative to Math
씨투엠

새로운 카드로 더욱 재미있는 활동을 해 보세요.

카드북 구성

식 복원 카드 12장, 크로스 셈 카드 12장, 가로세로 셈 카드 12장, 수 배치 카드 12장

식 복원 카드 활동

카드에 주어진 수칩과 기호칩 또는 세로셈 막대를 한 번씩 모두 사용하여 하나의 식을 만듭니다.
카드를 뒤집어 정답을 확인합니다. 식을 만드는 방법은 여러 가지가 있을 수 있습니다.

크로스 셈 카드 활동

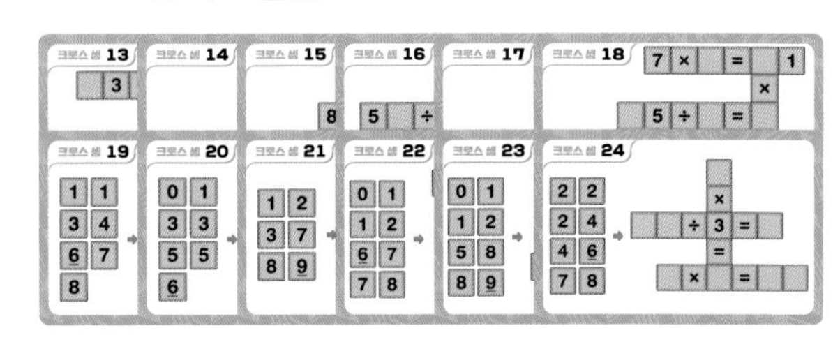

수칩과 기호칩을 사용하여 카드에 주어진 식의 빈 부분을 채워가며 식을 완성합니다. **13~18** 카드는 식의 빈 부분에 들어갈 수칩을 찾아 식을 완성하고 **19~24** 카드는 왼쪽에 주어진 수칩을 모두 한 번씩 사용하여 오른쪽 모양의 식을 완성합니다. 카드를 뒤집어 정답을 확인합니다. 식을 만드는 방법은 여러 가지가 있을 수 있습니다.

가로세로 셈 카드 활동

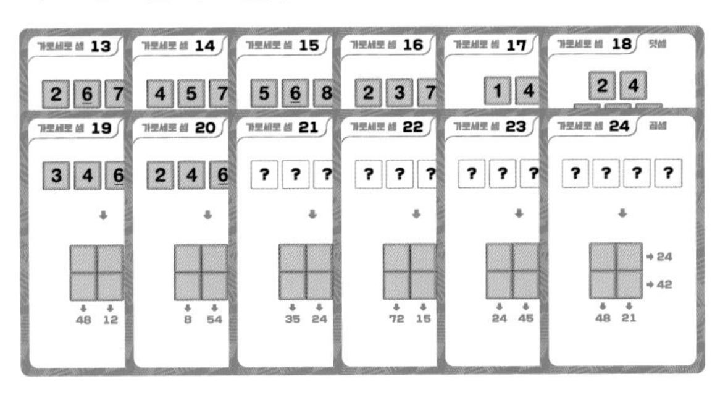

위쪽에 주어진 수칩을 사용하여 각 가로줄과 세로줄의 수의 합(덧셈 카드) 또는 곱(곱셈 카드)이 그 줄의 바깥쪽에 있는 수가 되도록 모양에 맞게 수칩을 배치합니다.
카드를 뒤집어 정답을 확인합니다.

수 배치 카드 활동

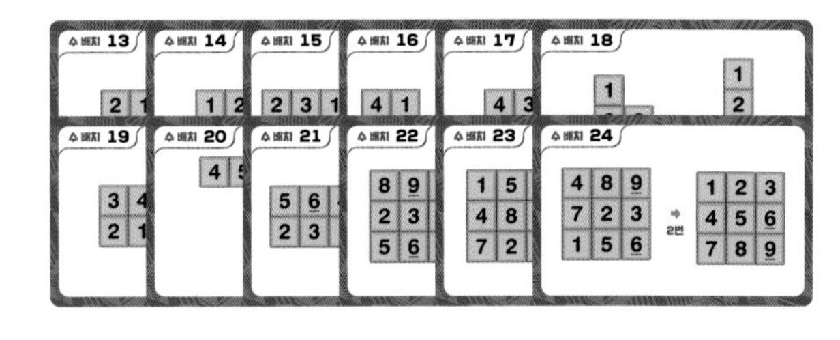

왼쪽에 주어진 모양대로 수칩을 배치한 다음 주어진 횟수만큼 커터를 이용하여 수칩을 가르고 붙여 오른쪽 모양을 만듭니다.
횟수가 1번일 때는 한 번 가른 다음 붙여서 완성하고, 2번일 때는 한 번 가르고 붙인 다음 다시 한 번 가르고 붙여 완성합니다. 카드를 뒤집어 정답을 확인합니다. 주어진 수 배치를 만드는 과정은 여러 가지가 있을 수 있습니다.

*수칩을 가르고 붙이는 규칙은 매뉴얼 activity 4를 참고하세요.

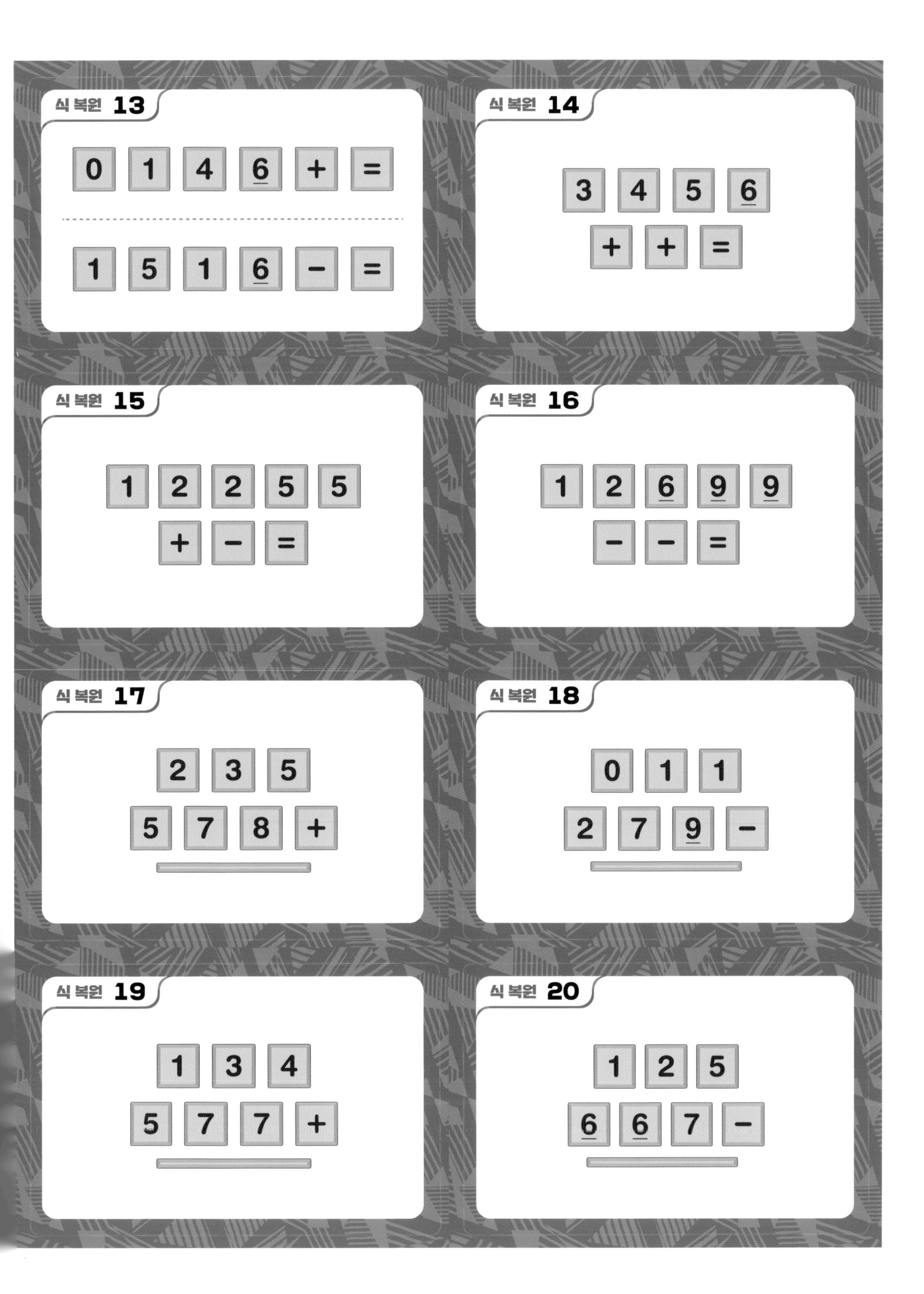

식 복원 13
0 1 4 6 + =
1 5 1 6 − =
식 복원 14
3 4 5 6
+ + =
식 복원 15
1 2 2 5 5
+ − =
식 복원 16
1 2 6 9 9
− − =
식 복원 17
2 3 5
5 7 8 +
식 복원 18
0 1 1
2 7 9 −
식 복원 19
1 3 4
5 7 7 +
식 복원 20
1 2 5
6 6 7 −

식 복원 14

3 + 6 = 4 + 5

3 + 6 = 5 + 4

6 + 3 = 4 + 5

6 + 3 = 5 + 4

왼쪽 식과 오른쪽 식의 위치를 서로 바꾸어도 됩니다.

식 복원 13

6 + 4 = 10

4 + 6 = 10

11 − 5 = 6

11 − 6 = 5

식 복원 16

16 − 9 = 9 − 2

12 − 9 = 9 − 6

왼쪽 식과 오른쪽 식의 위치를 서로 바꾸어도 됩니다.

식 복원 15

12 − 2 = 5 + 5

12 − 5 = 5 + 2

12 − 5 = 2 + 5

식 복원 18

91 − 21 = 70

91 − 20 = 71

91 − 71 = 20

91 − 70 = 21

식 복원 17

35 + 52 = 87

53 + 25 = 78

더하는 두 수에서 같은 자리 수인 3과 5, 5와 2의 위치는 서로 바꾸어도 됩니다.

식 복원 20

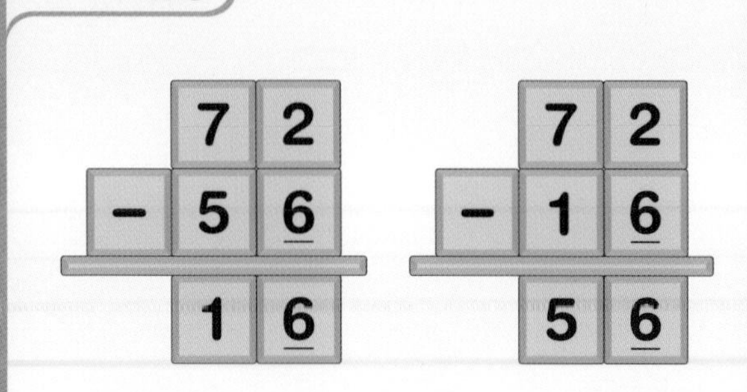

식 복원 19

17 + 37 = 54

17 + 37 = 54

식 복원 21

2 3 4 6

× × =

식 복원 22

4 6 6 9

× × =

식 복원 23

2 3 3 7 8

× ÷ =

식 복원 24

1 2 6 7 8 9

÷ ÷ =

크로스 섬 13

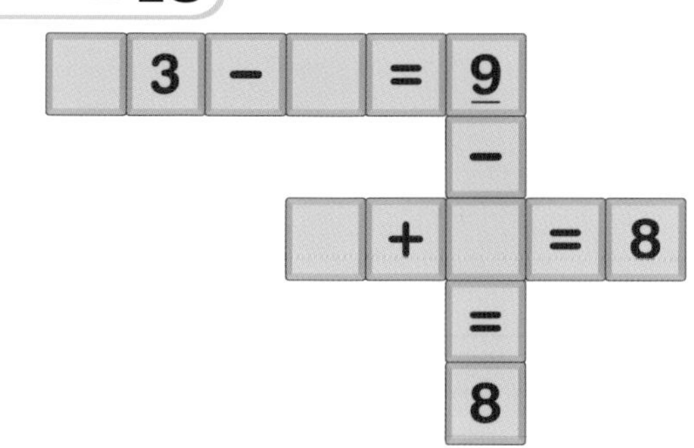

크로스 섬 14

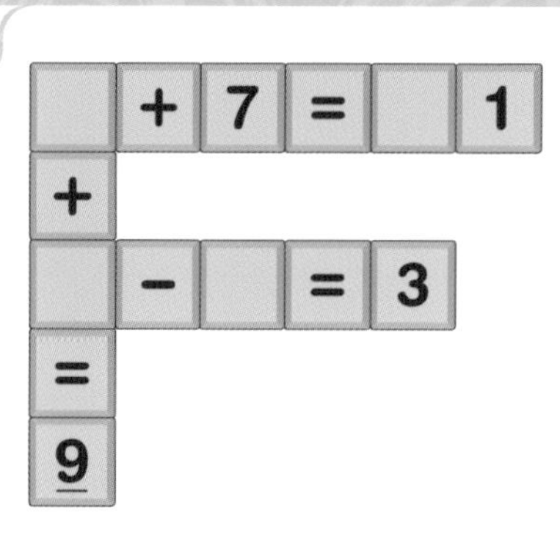

크로스 섬 15

			−		=	6
		+				
8	+		=	1	6	
		=				
		1				
		3				

크로스 섬 16

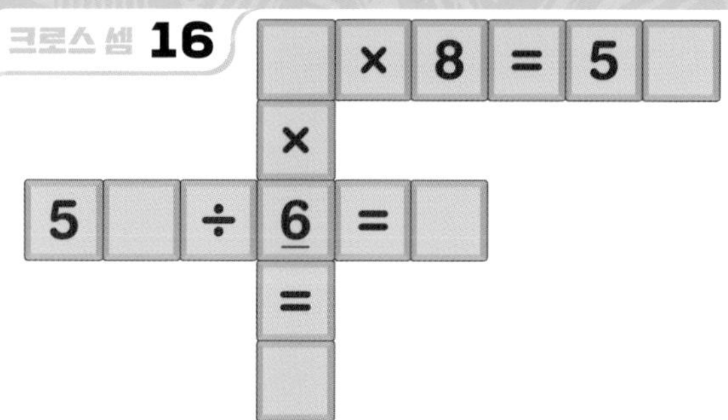

식 복원 22

4 × 9 = 6 × 6

9 × 4 = 6 × 6

왼쪽 식과 오른쪽 식의 위치를 서로 바꾸어도 됩니다.

식 복원 21

2 × 6 = 3 × 4

2 × 6 = 4 × 3

6 × 2 = 3 × 4

6 × 2 = 4 × 3

왼쪽 식과 오른쪽 식의 위치를 서로 바꾸어도 됩니다.

식 복원 24

18 ÷ 6 = 27 ÷ 9

왼쪽 식과 오른쪽 식의 위치를 서로 바꾸어도 됩니다.

식 복원 23

3 × 3 = 72 ÷ 8

3 × 8 = 72 ÷ 3

8 × 3 = 72 ÷ 3

왼쪽 식과 오른쪽 식의 위치를 서로 바꾸어도 됩니다.

크로스 섬 14

4 + 7 = 11

4 + 5 = 9 (세로)

5 − 2 = 3

크로스 섬 13

13 − 4 = 9

9 − 1 = 8 (세로)

7 + 1 = 8

크로스 섬 16

7 × 8 = 56

7 × 6 = 42 (세로)

54 ÷ 6 = 9

크로스 섬 15

15 − 9 = 6

5 + 8 = 13 (세로)

8 + 8 = 16

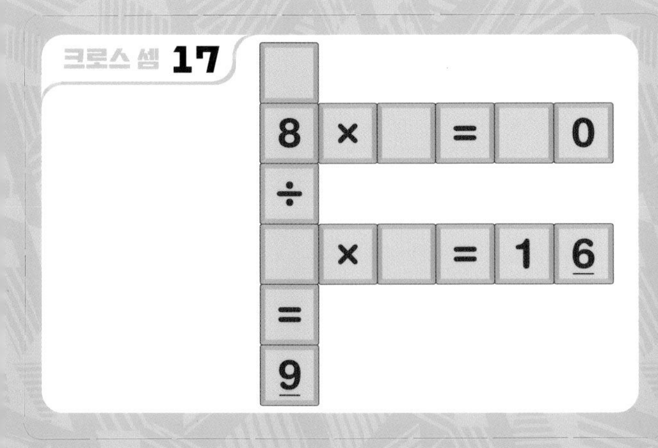
크로스 셈 17

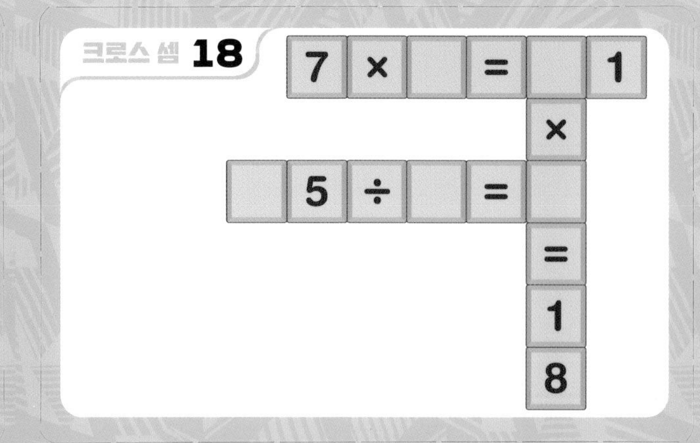
크로스 셈 18

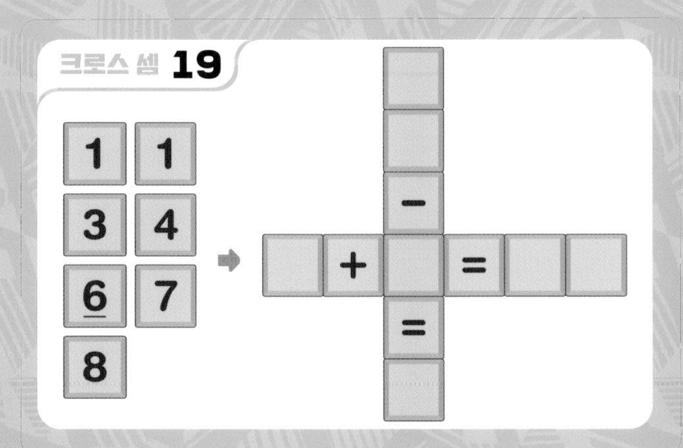
크로스 셈 19

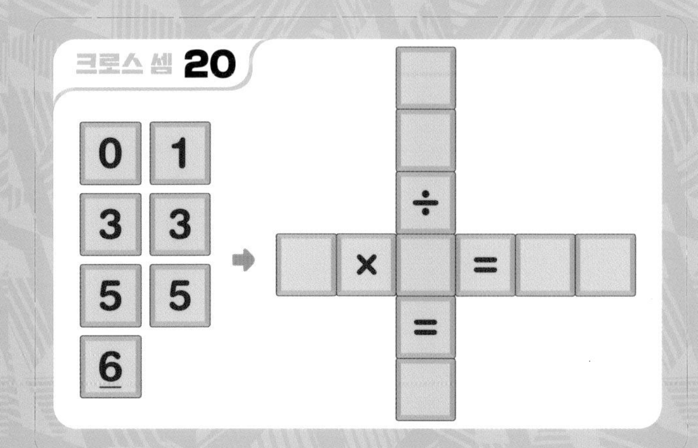
크로스 셈 20

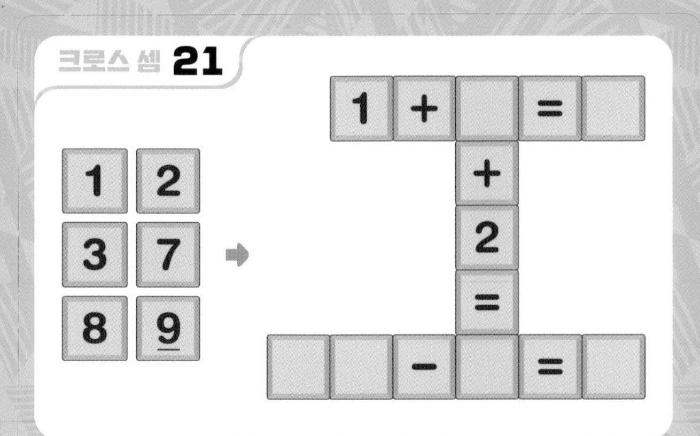
크로스 셈 21

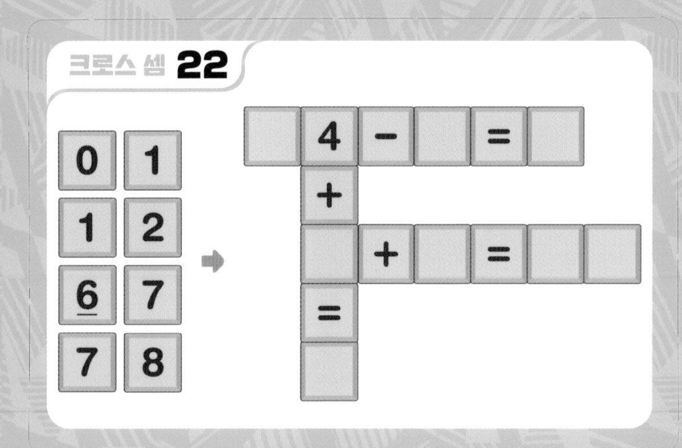
크로스 셈 22

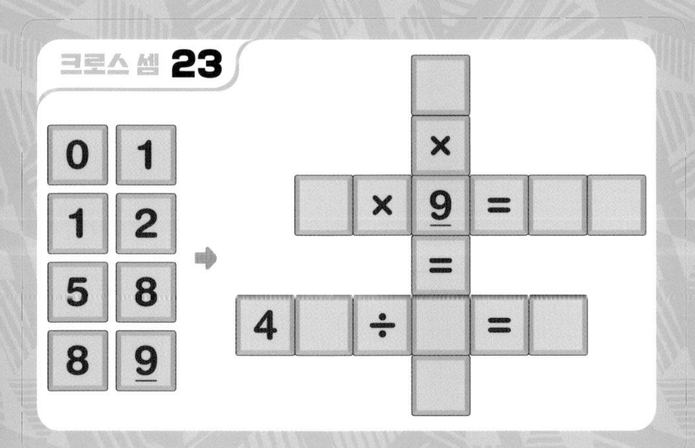
크로스 셈 23

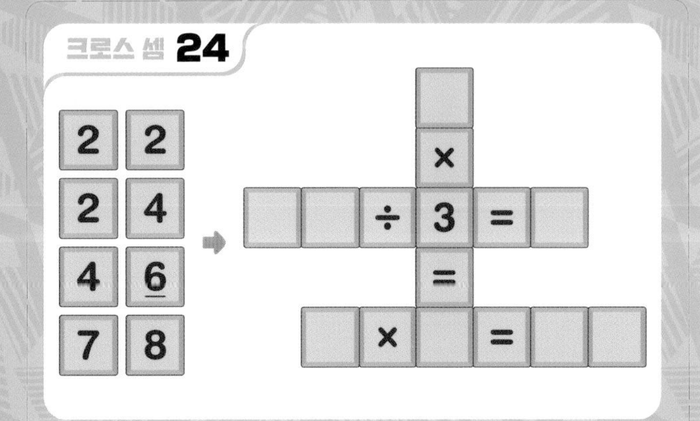
크로스 셈 24

크로스 셈 18

$7 \times 3 = 21$

$2 \times 9 = 18$

$45 \div 5 = 9$

크로스 셈 17

$18 \div 2 = 9$

$8 \times 5 = 40$

$2 \times 8 = 16$

크로스 셈 20

$30 \div 5 = 6$

$3 \times 5 = 15$

$15 \div 5 = 3$

$6 \times 5 = 30$

크로스 셈 19

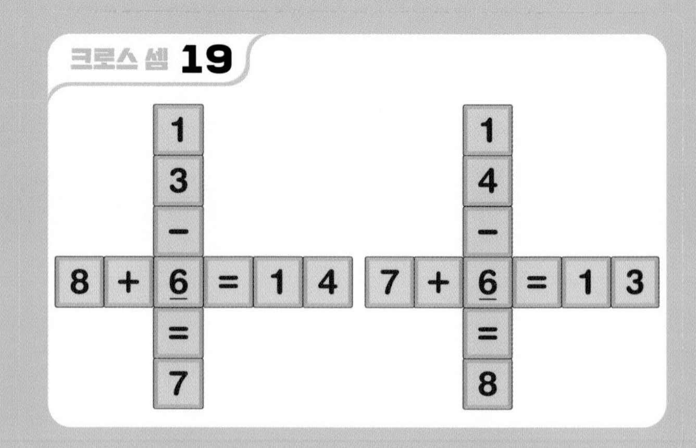

크로스 셈 22

$14 - 7 = 7$

$4 + 2 = 6$

$2 + 8 = 10$

크로스 셈 21

크로스 셈 24

$2 \times 3 = 6$

$24 \div 3 = 8$

$7 \times 6 = 42$

크로스 셈 23

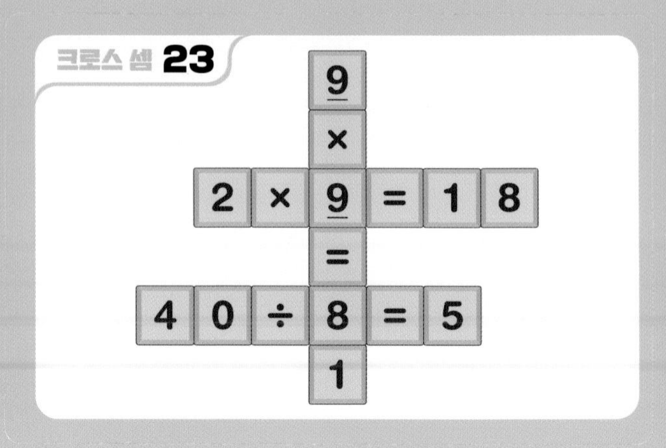

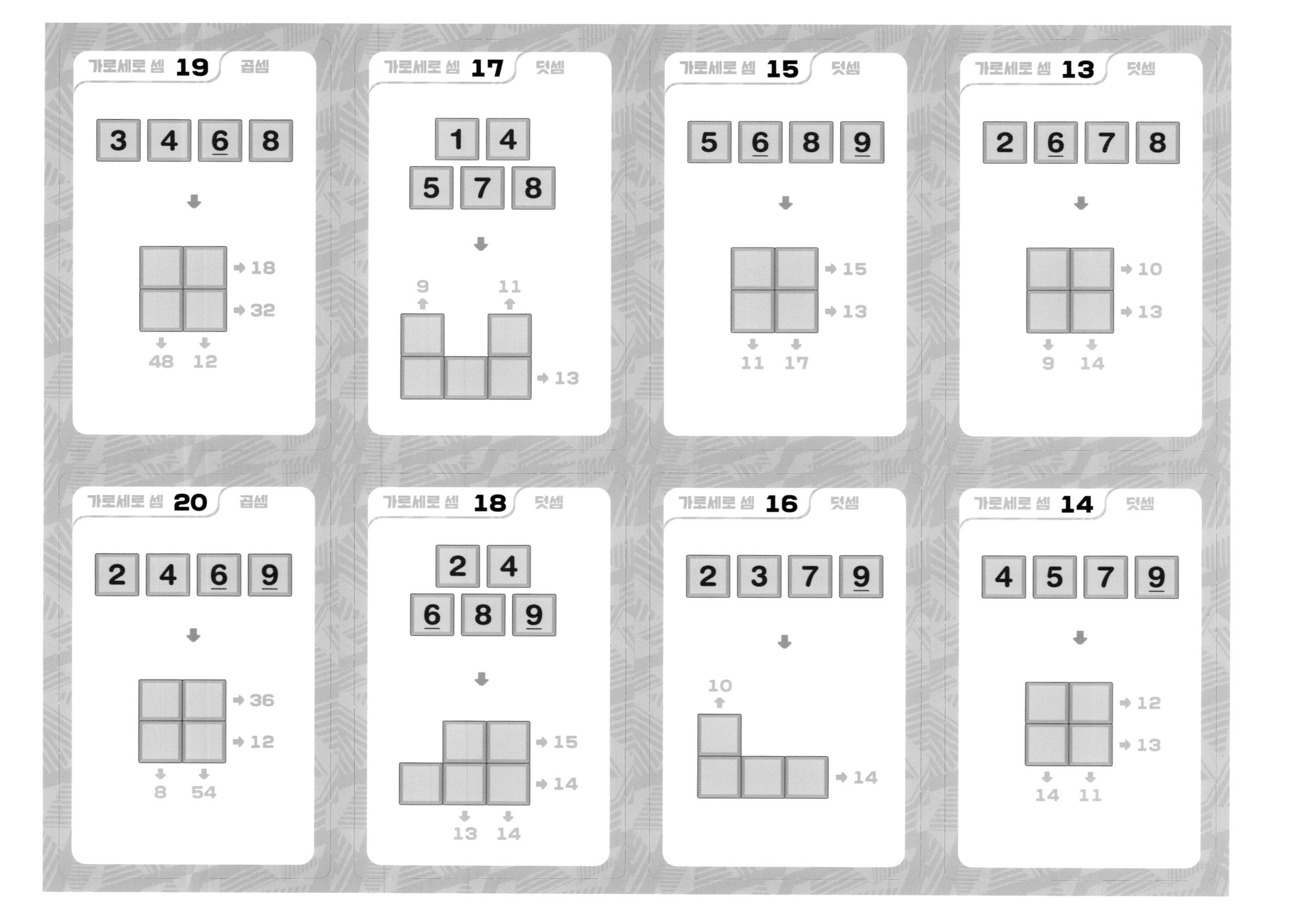
가로세로 셈 19 곱셈
3 4 6 8
18
32
48 12
가로세로 셈 17 덧셈
1 4
5 7 8
9 11
13
가로세로 셈 15 덧셈
5 6 8 9
15
13
11 17
가로세로 셈 13 덧셈
2 6 7 8
10
13
9 14
가로세로 셈 20 곱셈
2 4 6 9
36
12
8 54
가로세로 셈 18 덧셈
2 4
6 8 9
15
14
13 14
가로세로 셈 16 덧셈
2 3 7 9
10
14
가로세로 셈 14 덧셈
4 5 7 9
12
13
14 11

가로세로셈 **13** 덧셈

2	8	→ 10
7	6	→ 13
↓ 9	↓ 14	

가로세로셈 **15** 덧셈

6	9	→ 15
5	8	→ 13
↓ 11	↓ 17	

가로세로셈 **17** 덧셈

9 ↑		11 ↑	
8		4	
1	5	7	→ 13

가로세로셈 **19** 곱셈

6	3	→ 18
8	4	→ 32
↓ 48	↓ 12	

가로세로셈 **14** 덧셈

5	7	→ 12
9	4	→ 13
↓ 14	↓ 11	

가로세로셈 **16** 덧셈

10 ↑			
7			
3	2	9	→ 14

10 ↑			
7			
3	9	2	→ 14

가로세로셈 **18** 덧셈

	9	6	→ 15
2	4	8	→ 14
	↓ 13	↓ 14	

가로세로셈 **20** 곱셈

4	9	→ 36
2	6	→ 12
↓ 8	↓ 54	

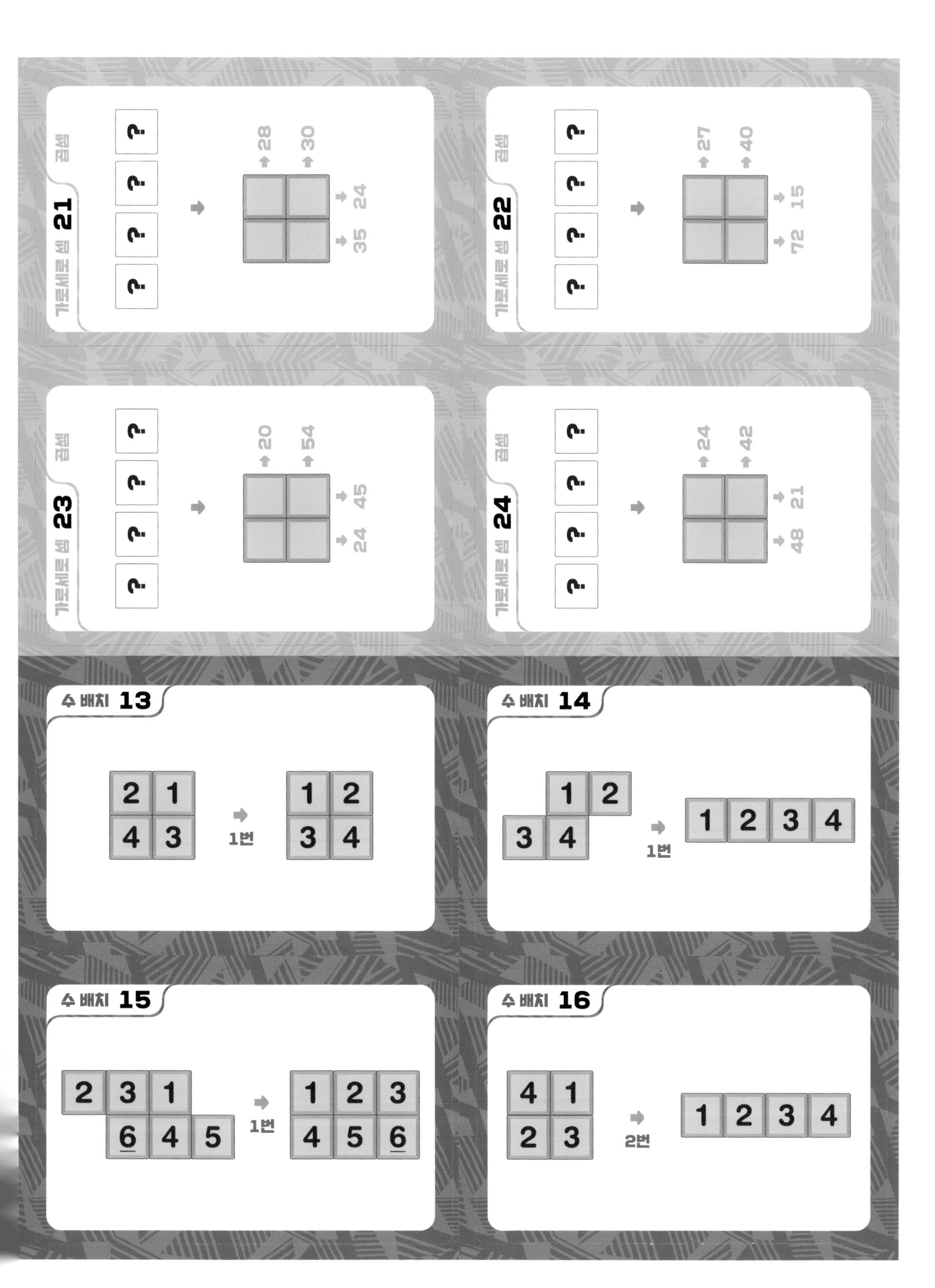
가로세로 셈 21 곱셈
? ? ? ?
28 30
24 35
가로세로 셈 22 곱셈
? ? ? ?
27 40
15 72
가로세로 셈 23 곱셈
? ? ? ?
20 54
45 24
가로세로 셈 24 곱셈
? ? ? ?
24 42
21 48
수 배치 13
2 1
4 3
1번
1 2
3 4
수 배치 14
1 2
3 4
1번
1 2 3 4
수 배치 15
2 3 1
6 4 5
1번
1 2 3
4 5 6
수 배치 16
4 1
2 3
2번
1 2 3 4

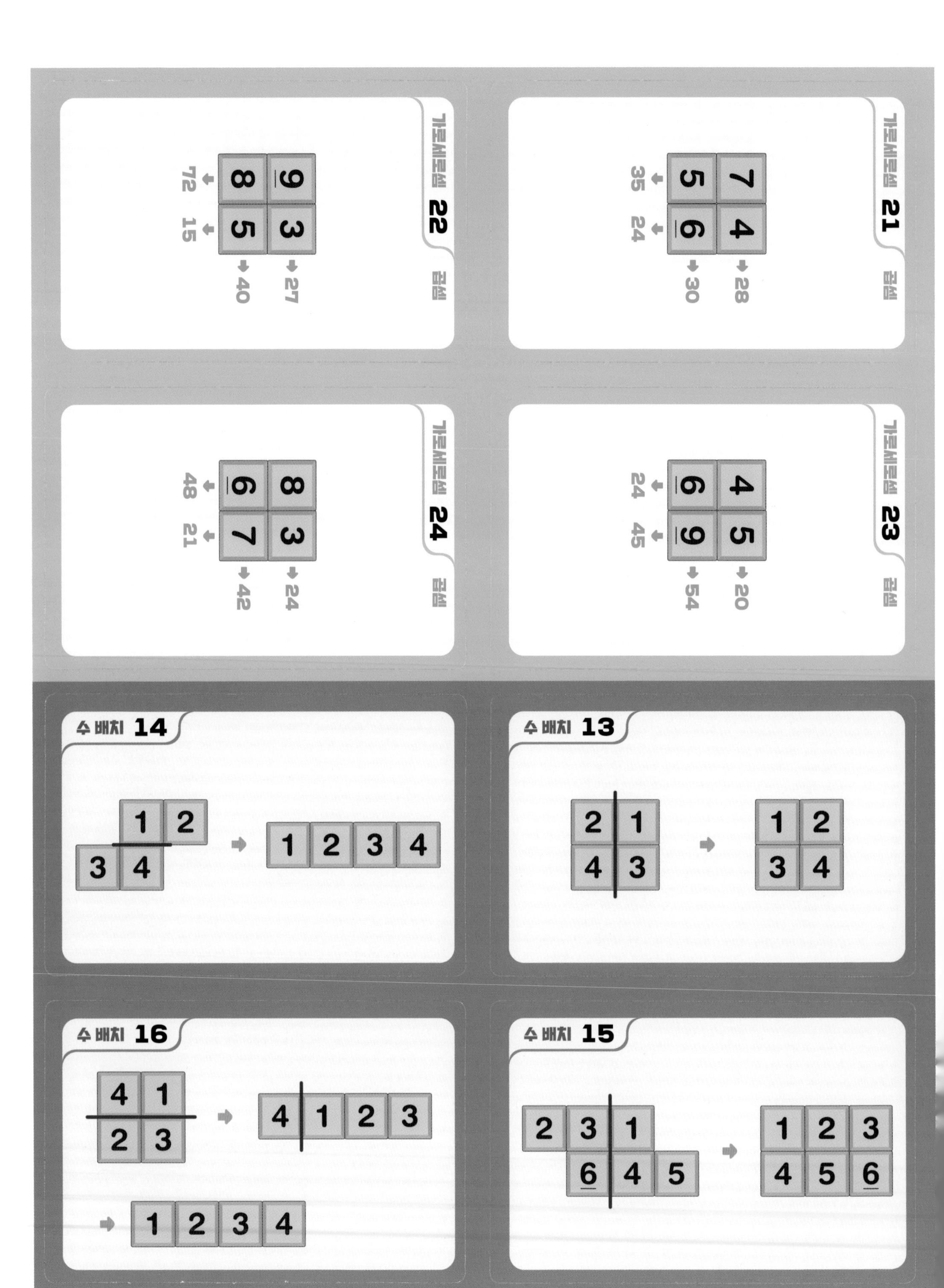

가로세로셈 21 곱셈
가로세로셈 22 곱셈
가로세로셈 23 곱셈
가로세로셈 24 곱셈
수 배치 13
수 배치 14
수 배치 15
수 배치 16

수 배치 17

4	3
2	1

➡ 2번

1	2
3	4

수 배치 18

1	
3	2
4	

➡ 2번

1
2
3
4

수 배치 19

3	4
2	1

➡ 2번

1	2
3	4

수 배치 20

4	5	6	2	3	1

⬇ 2번

1	2	3
4	5	6

수 배치 21

5	6	4
2	3	1

➡ 2번

1	2	3
4	5	6

수 배치 22

8	9	7
2	3	1
5	6	4

➡ 2번

1	2	3
4	5	6
7	8	9

수 배치 23

1	5	6
4	8	9
7	2	3

➡ 2번

1	2	3
4	5	6
7	8	9

수 배치 24

4	8	9
7	2	3
1	5	6

➡ 2번

1	2	3
4	5	6
7	8	9

수 배치 18

1
3 2
4
→
1
3 2
4
→
1
2
3
4

수 배치 17

4 3
2 1
→
2 1
4 3
→
1 2
3 4

수 배치 20

4 5 6 2 3 1
→
2 3 1
4 5 6
→
1 2 3
4 5 6

수 배치 19

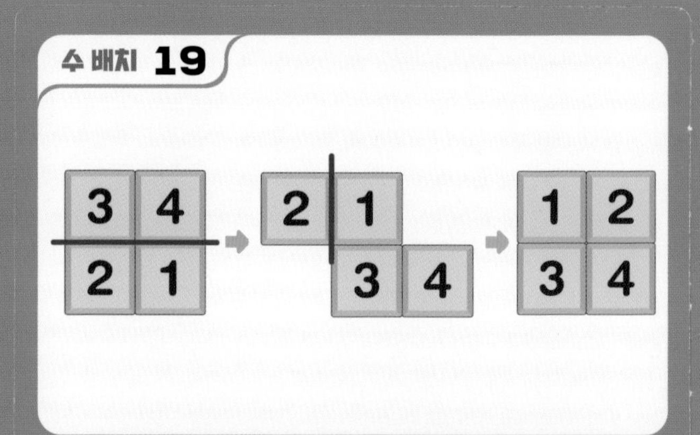

수 배치 22

8 9 7
2 3 1
5 6 4
→
2 3 1
5 6 4
8 9 7
→
1 2 3
4 5 6
7 8 9

수 배치 21

5 6 4
2 3 1
→
2 3 1
5 6 4
→
1 2 3
4 5 6

수 배치 24

4 8 9
7 2 3
1 5 6
→
4
7 8 9
1 2 3
5 6
→
1 2 3
4 5 6
7 8 9

수 배치 23

1 5 6
4 8 9
7 2 3
→
5 6
8 9
1 2 3
4
7
→
1 2 3
4 5 6
7 8 9

초등 수학 교구 상자

평면 공간감각을 길러주는 회전 펜토미노 퍼즐

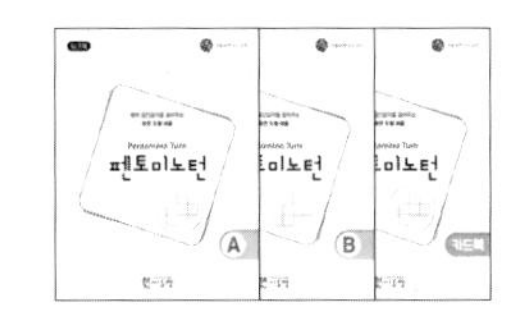

펜토미노턴

초등학생들이 어려워하는 '평면도형의 이동'을 펜토미노와 패턴블록으로 도형을 직접 돌려보며 재미있게 해결하는 공간감각 퍼즐입니다.

입체 공간감각을 길러주는 멀티큐브 퍼즐

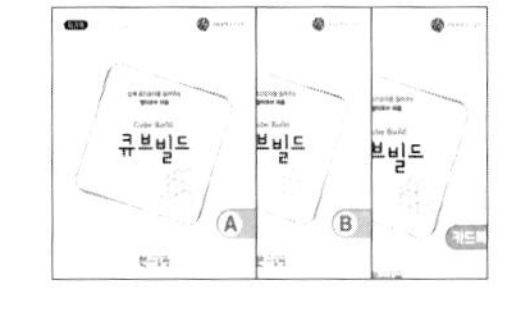

큐브빌드

머릿속으로 그리기 어려운 입체도형을 쌓기나무와 멀티큐브를 이용하여 직접 만들어 위, 앞, 옆 모양을 관찰하고, 다양한 입체 모양을 만드는 공간감각 퍼즐입니다.

도형감각을 길러주는 입체 칠교 퍼즐

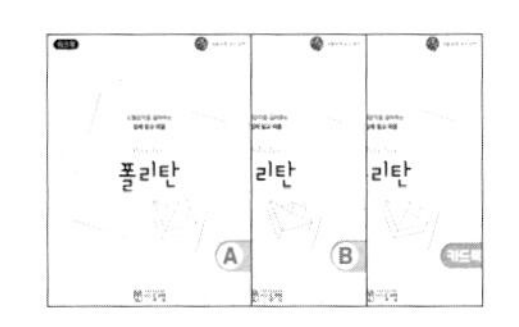

폴리탄

정사각형을 7조각으로 자른 '입체 칠교'와 직각이등변삼각형을 붙인 '입체 볼로'를 활용하여 평면뿐만 아니라 다양한 입체도형 문제를 해결하는 퍼즐입니다.

수 감각을 길러주는 창의 연산 보드 게임

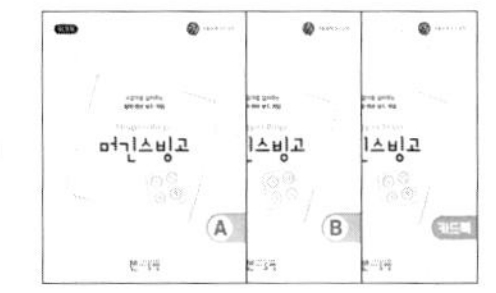

머긴스빙고

빙고 게임과 머긴스 게임을 활용하여 수 감각과 연산 능력을 끌어올리고 전략적 사고를 키우는 사고력 보드 게임입니다.

공간감각을 길러주는 입체 폴리오미노 보드 게임

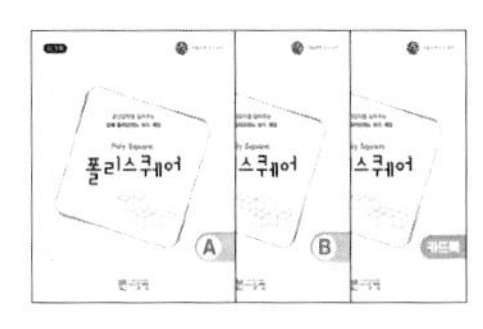

폴리스퀘어

모노미노부터 펜토미노까지의 폴리오미노를 이용하여 다양한 모양을 만들어 보고, 공간을 차지하는 게임으로 공간감각을 키우는 공간 점령 보드 게임입니다.

자유자재로 식을 만드는 멀티 숫자 퍼즐

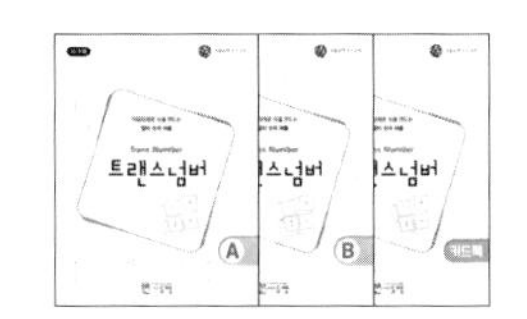

트랜스넘버

자유자재로 식을 만들고 이를 변형, 응용하는 활동을 통해 연산 원리와 연산감각을 길러주는 멀티 숫자 퍼즐입니다.

I hear and I forget 듣기만 한 것은 잊어버리고

I see and I remember 본 것은 기억되지만

I do and I understand 직접 해 본 것은 이해가 된다

Trans Number

트랜스넘버

펴낸곳: ㈜씨투엠에듀 **발행인:** 한헌조

모델명: 필즈엠_트랜스넘버
제조년월: 2020년 5월
주소 및 전화번호: 경기도 수원시 장안구 파장로 7(태영빌딩 3층) / 031-548-1191
제조국명: 한국